A la recherche
du
secret
des
pyramides

MAX TOTH
GREG NIELSEN

A la recherche du secret des pyramides

PRESSES SELECT LTEE.
1555 Ouest rue de Louvain,
MONTREAL, P.Q. H4N 1G6

Collection **A la recherche de...**

Déjà parus :

A la recherche des grands mystères du passé,
par Alan et Sally Landsburg.
A la recherche des trous noirs de l'espace,
par John G. Taylor.

Traduit de l'américain par Adélie Hoffenberg.

Titre original : *Pyramid Power.*

ISBN 2-85616-092-1   78-6/60-0290-1

TABLE

REMERCIEMENTS

Toute notre gratitude et notre estime vont en premier lieu à Karl Drbal, de Prague. Nous lui devons la rédaction du chapitre 8 qui constitue sa première publication aux Etats-Unis. Il y décrit avec autant de finesse que d'humour les recherches techniques qu'il a consacrées à l'énergie de la pyramide et apporte une réponse à des questions déjà anciennes, ajoutant une pierre finale à l'élaboration de ce livre.

"Les Pyramides indiquent-elles la dérive des continents ?", par G.S. Pawley et N. Abrahamsen, fut publié pour la première fois dans *Science*, vol. 179, p. 892-93, du 2 mars 1973 ; nous remercions à la fois les auteurs et la revue *Science* de nous avoir autorisés à reproduire cet article dont les droits demeurent réservés à l'Association américaine pour le Progrès scientifique.

Nos remerciements vont encore à Henry Monteit, d'Albuquerque dans le Nouveau-Mexique, pour sa magnifique contribution au chapitre 7 ; à Joan Ann de Mattia, de New York, pour la manière dont elle a su nous raconter dans le chapitre 12 comment elle a mis l'énergie de la pyramide à son service ; à Robert Cousins, architecte, pour ses remarquables plans et illustrations ; à Manley Hall pour nous avoir autorisés à citer des extraits de son livre, *The Secret Teachings of All Ages* ; au Dr Boris Vern pour ses illustrations et ses recherches préliminaires ; et à Al Manning, directeur du Laboratoire d'E.S.P. [1]

Nous remercions en outre Renée Felice et Lynn Wilkens pour la contribution inestimable qu'ils ont apportée à la préparation de ce livre.

Enfin, nous sommes redevables à tous ceux — organisations ou personnes privées, auteurs de publications ou d'ouvrages scientifiques — qui nous ont fourni les matériaux considérables sans lesquels ce livre n'eût jamais vu le jour.

---

1. *Extra-Sensorial Perception* : Perception Extra-Sensorielle.

Préface

Une bonne partie de ce qui a été considéré comme la superstition des civilisations du passé s'avère aujourd'hui être le noyau d'une ancienne science secrète ; plus d'une découverte contemporaine a été faite grâce à cette science secrète. Le pouvoir de la pyramide est au premier rang de celles-ci.

En 1968, le Dr Luis Alvarez, prix Nobel, entreprit de résoudre scientifiquement quelques-uns des mystères de la pyramide ; et, plus précisément, de découvrir l'existence de chambres ou de passages secrets dans la pyramide de Khéphren à Guizèh. Le temps que son projet soit mis à exécution, des milliers de savants du monde entier s'y étaient intéressés. Pour atteindre son but, Alvarez décida d'utiliser une nouvelle méthode pour mesurer le bombardement de rayons cosmiques traversant des objets plus ou moins denses. Après avoir mesuré plus de deux millions de rayons, il fit lire les bandes magnétiques par un ordinateur, au Caire. Il ne se produisit rien d'anormal.

Cependant, peu de temps après, un reporter du *Times,* John Tunstall, citant l'un des savants chargés du projet, déclara, dans un article du 14 juillet 1969 : « Cela défie toutes les lois connues de la physique. » Il semble que les bandes aient été soumises à plusieurs ordinateurs, l'un plus moderne que l'autre. Et, chaque fois que les bandes passaient dans un nouvel ordinateur, on obtenait un schéma différent.

« C'est impossible », confia au reporter l'éminent Dr Amr Gohed.

Le journaliste demanda alors : « Est-ce que tout le savoir-faire scientifique est mis en échec par quelque force qui dépasse l'entendement humain ? »

Le savant répondit : « Ou bien la géométrie de la pyramide comporte une erreur substantielle, ce qui affecterait nos lectures, ou bien il y a un système qui dépasse l'explication — appelez-la comme vous voulez, occultisme, malédiction du pharaon, sorcellerie ou magie. Quelque force défiant les lois de la science est à l'œuvre dans la pyramide. »

A beaucoup de lecteurs, cette affirmation a probablement paru risible. Après tout, les pyramides n'ont guère été, pour la plupart, un sujet d'un grand intérêt. Les étudiants n'apprennent que peu de chose sur la question dans leur livres d'histoire et ils n'étudient les pyramides qu'en tant que formes géométriques dans leur cours de mathématiques, les oubliant dès qu'ils sortent des salles de classe et passé le dernier examen.

En général, tous les adultes ont vu des reportages photographiques sur les pyramides dans des revues et des magazines ; certains ont même vu des documentaires ou des films de voyages comprenant des séquences sur les pyramides d'Egypte. Mais fort peu sont ceux qui ont une idée de l'impact que les pyramides ont eu sur le développement de la civilisation. Et ceux qui, comme le Dr Gohed, croient « qu'il y a une force défiant les lois de la science à l'œuvre dans la pyramide », sont encore moins nombreux. Mais nous en sommes, et c'est pourquoi ce livre a été écrit. Car, s'il existe de nombreux livres sur les pyramides d'Egypte, il y en a très peu sur les pyramides situées dans d'autres parties du monde et aucun, à notre connaissance, sur le pouvoir de la force pyramidale.

Au début des années 1970, de nombreuses revues, dont *Times, Esquire, Playgirl, Psychic Observer, Probe the Unknown, Spaceview* et *Your Personal Astrology* ont publié des articles sur ce qui est communément appelé "le pouvoir des pyramides". Nous avons suivi avec attention le développement des recherches en laboratoire ou dans des ateliers privés. La table des matières de ce livre donne un aperçu des résultats de ces expériences fascinantes. De plus, nous proposons au lecteur un certain nombre d'expériences simples qu'il peut effectuer chez lui et que les savants ont réalisées en laboratoire. Depuis que la recherche sur la pyramide a pris de l'ampleur, de nouveaux progrès sont constamment réalisés. Ce livre constitue une source d'information le plus à jour dans le domaine de la pyramidologie.

Les premiers chapitres plongent dans les secrets des structures pyramidales existant encore à ce jour, bien que construites il y a des *milliers* d'années. Les

11

anciennes civilisations du Pérou, de l'Amérique Centrale et de l'Egypte ont toutes adoré et consacré le mystère qui entoure les pyramides. Les chapitres suivants étudient les pouvoirs de la pyramide qui font l'objet de recherches dans des cercles occultes et scientifiques. On y explore l'aiguisage des lames de rasoir, la conservation des aliments, la pyramide comme générateur d'énergies spirituelles et autres pouvoirs étonnants. Nous publions également un article exclusif de Karl Drbal, un Tchèque qui a déposé le premier brevet de pyramide.

Nous vous invitons donc à vous joindre à nous dans notre exploration des mystères des pyramides anciennes ou nouvelles : construisez votre propre pyramide miniature (voir chapitre 11) et faites vous-même l'expérience des énergies mystérieuses concentrées dans les structures pyramidales et autour d'elles.

1

Survol des pyramides

Pyramides ! Ce mot évoque l'image d'immenses constructions surgissant d'un vaste océan de sable, brûlées par un soleil de plomb, érodées par des vents implacables — assemblage arbitraire de trois monuments massifs aux faces triangulaires et d'une statue monumentale, mi-homme mi-bête.

Voilà les pyramides d'Egypte — énigmes tangibles, antiques vestiges d'un temps situé au-delà de la mémoire, au-delà de l'histoire, au-delà de l'entendement. Comme d'autres pyramides moins célèbres érigées ailleurs dans le monde, ces édifices à l'architecture colossale ont, à travers les siècles, fourni aux archéologues, historiens et mystiques matière à des millions de volumes, à d'innombrables théories, à des débats et à des méditations sans fin.

Aujourd'hui encore, les mystères intriguent et harcèlent scientifiques et érudits. Qui a construit les pyramides ? Dans quel but ? D'où les constructeurs inconnus ont-ils tiré l'extraordinaire savoir scientifique et astronomique mis en œuvre dans la conception de ces gigantesques structures ? Et avec quel équipement technologique complexe et sophistiqué ces édifices ont-ils été créés ?

Bien qu'elles soient restées jusqu'à présent sans réponse, ces questions ne cessent d'exciter les imaginations, de susciter les curiosités. On a élaboré des théories en tous genres — certaines extrêmement bizarres, d'autres remarquables par leur négligence totale du contexte historique —, on a écrit des livres, réalisé des films documentaires ou de fiction sur ce thème toujours aussi fascinant des pyramides.

Durant les cent dernières années, des pyramides ont été repérées avec plus ou moins d'exactitude. Elles ont été, pour la plupart, aperçues par des pilotes militaires survolant des régions inexplorées pendant leur mission. Quelques-unes de ces pyramides insolites ont été photographiées, mais il semble que plusieurs de ces photographies aient été perdues ou égarées. Les tentatives faites pour vérifier l'existence de ces édifices ont été découragées par des terrains impraticables et, en fin de compte, les informations reposent entièrement sur des témoignages oculaires et sur les légendes locales.

Il semble qu'un important complexe de structures pyramidales, comportant une grande pyramide, soit situé dans la province chinoise de Shan-Hsi, à quelques kilomètres à l'ouest de l'ancienne capitale chinoise de Hsi-an, ville fortifiée plus ancienne que

Pékin. La pyramide principale, de plus de trois cents mètres de haut paraît-il, est entourée, sur une surface de plusieurs kilomètres carrés, d'un nombre non défini de pyramides à sommet plat qui seraient toutes orientées vers le nord. Les pyramides de Shan-Hsi seraient construites avec un mélange de chaux et d'argile durci par un matériau semblable au ciment. Elles portent des incrustations de pierre et sont décorées de peintures multicolores.

Une autre pyramide asiatique est située quelque part dans l'Himalaya. Appelée la Pyramide blanche, on la décrit comme étant d'un blanc miroitant, sertie dans du métal ou dans une pierre quelconque, surmontée d'une énorme pierre de faîte, dont le matériau a l'apparence d'un bijou ; peut-être est-ce du cristal.

Au Cambodge, se trouvent les anciennes ruines de ce qui fut autrefois une grande ville, connue aujourd'hui sous le nom d'Angkor, qui contenait des tombes splendides, des galeries sans fin, et de vastes pyramides. L'histoire cambodgienne ne mentionne nulle part l'origine de cette ville sacrée. La tradition orale, véhiculée par des générations de Cambodgiens, nous dit seulement qu'il s'agissait ou bien de l'œuvre de géants, ou bien de l'œuvre de Pra Sun, le Roi des Anges. Bien que l'imposant temple d'Angkor Vat ait été étudié et en partie restauré avant le conflit indochinois, les connaissances sur les pyramides de la région sont très réduites : elles ne concernent que la similitude de proportions avec les pyramides égyptiennes.

Un ensemble de pyramides est censé avoir existé dans une région déserte du plateau central sibérien, au nord d'Olekminsk. Des témoins oculaires ont fait état d'une armada aérienne soviétique composée de bombardiers et de chasseurs qui aurait pratiquement effacé cette région de la face de la terre. Ce bombardement, qui aurait eu lieu au printemps 1970, aurait anéanti une base de soucoupes volantes. La presse soviétique n'y a jamais fait allusion et tous les rapports concernant cet incident sont considérés comme des commérages. Le mystère reste donc entier.

L'Europe occidentale a aussi sa part de structures pyramidales. On en a découvert une dans le Sud de la France. On pense que cette pyramide fut érigée au XIIe ou au XIIIe siècle par les templiers à leur retour de croisade. Au-dessous se trouve une cavité souterraine aux murs gravés de symboles astrologiques.

Silbury Hill, dans le Wilshire en Angleterre, est l'un des nombreux tertres coniques, l'une des nombreuses pyramides à degrés, que l'on trouve en Angleterre. On croit que la construction de cette colline remonte à quatre mille ans. Les constructeurs ont utilisé environ un million de tonnes de terre battue répandue sur une base de deux hectares et entassée jusqu'à plus de cinquante mètres de haut. On a trouvé en Irlande d'anciennes tombes couvertes d'une structure de terre semblable à celle de Silbury Hill. L'usage de petites formes pyramidales ou coniques comme repères désignant l'emplacement de tombes et comme objets d'un culte inconnu constitue un phénomène très répandu dans l'hémisphère occidental.

Mais c'est surtout aux Etats-Unis que l'on trouve de telles mini-pyramides : ainsi, près de la petite communauté de Williams dans le Montana, se dresse une série de pyramides d'un mètre de haut. Selon la Société d'Histoire du Montana, il pourrait s'agir de signes utilisés par quelques bergers inconnus. Cependant, cette explication n'est pas entièrement satisfaisante. Bien que ces pyramides aient été érigées le long d'une ligne nord-ouest/sud-ouest correspondant au parcours suivi par les bergers, elles sont manifestement plusieurs fois millénaires, précédant de plusieurs siècles l'apparition des troupeaux de moutons.

Un autre site fut découvert en 1959 par des archéologues de l'université d'Arizona : le Painted Rock Reservoir, près de Gila Bend, dans l'Arizona. Ce petit monticule pyramidal à sommet plat, dont la construction se situerait entre 900 et 1 500, aurait été utilisé par les Indiens américains à des fins religieuses.

Une pyramide géante située à Collineville dans l'Illinois gagne de la notoriété au fur et à mesure que les anthropologues creusent plus profondément dans un mystérieux bloc de terre du parc national de Cahokia Mounts. Le tertre de Cahokia a une base plus importante que celle de la Grande Pyramide d'Egypte : 300 mètres de large, 240 mètres de long, et une hauteur évaluée aujourd'hui à 30 mètres. Le tertre pyramidal fait partie d'un formidable complexe de ruines à Cahokia, comprenant un grand mur et des fosses sacrificatoires édifiés par une civilisation indienne disparue. Les experts estiment que, pendant une période de deux cent cinquante ans, 500 000 mètres cubes de terre battue furent transportés vers le site. Pour les archéologues, la pyramide de Cahokia est la plus grande structure préhistorique des Etats-Unis, et les Cahokiens, qui ont régné pendant au moins cinq cents ans, possédaient des colonies situées jusqu'à 1 500 kilomètres de leur ville.

Des rumeurs remontant à des dizaines d'années

font état de pyramides en Alaska, en Floride, dans les limites du fameux triangle des Bermudes, ou du continent disparu de l'Atlantide. Aujourd'hui rejetées comme des légendes, ces rumeurs pourraient se révéler crédibles ou même fondées scientifiquement grâce à la découverte inopinée d'un aventurier ou d'un soldat de fortune, ou encore grâce au travail méticuleux d'une expédition archéologique.

Sur l'ensemble du globe, les seuls lieux géographiques apparemment dépourvus de structures pyramidales sont l'Australie et la région antarctique. Mais il est encore possible que la recherche archéologique révèle l'existence de pyramides dans ces régions — pyramides recouvertes par la végétation sauvage, comme celles d'Amérique Centrale et d'Amérique du Sud. Il est également possible que de nouvelles pyramides soient exhumées près de l'emplacement actuel de tertres en pierre ou en terre battue.

Toute expédition archéologique qui exhumera un nouveau site de pyramides attirera sans aucun doute l'attention du monde entier, étant donné que les pyramides présentent aujourd'hui un immense intérêt non seulement pour les cercles archéologiques, mais aussi pour les cercles scientifiques et parapsychologiques.

On a déterminé la date de vestiges archéologiques grâce à l'analyse au carbone radioactif, l'isotope Carbone 14. Il devient malheureusement évident aujourd'hui que les dates obtenues par ce procédé sont très discutables puisque des éléments organiques récents peuvent sensiblement affecter l'analyse, suite à un processus de contamination. Les archéologues pensent que la plupart des sites datés au Carbone 14 sont en fait plus anciens que ce procédé ne le laisse supposer. Une importante controverse sévit régulièrement dans les cercles archéologiques du fait que certains archéologues estiment la datation au Carbone 14 comme fausse, non pas de centaines d'années comme on le pensait précédemment, mais de milliers d'années.

Malgré ses imperfections, la méthode scientifique de datation au Carbone 14 est cependant utile : elle fournit en effet des informations sur l'évolution et la succession des civilisations. C'est pourquoi nous l'utiliserons afin de donner des points de repère au lecteur.

Un épais mystère entoure les pyramides : énigme de la construction des énormes pyramides égyptiennes, mayas, péruviennes, et pouvoirs troublants, inexplicables qui semblent intrinsèquement liés à la forme pyramidale. Le premier de ces mystères tient peut-être dans l'origine du nom lui-même.

De toute évidence, le mot anglais ou français provient du grec *pyramis* (au pluriel *pyramides*). Mais il est plus difficile de déterminer l'origine de ce mot grec. Il ne semble pas tiré de *mr* (prononcé *mer*), mot égyptien qui désigne la structure de base carrée à quatre côtés triangulaires. (Pour ajouter à la confusion, le mot égyptien n'a pas, d'après I.E.S. Edwards dans *Les pyramides d'Egypte*, de signification descriptive.)

Un mot trouvé dans le papyrus mathématique du Rhind, actuellement au British Museum, pourrait être un ancêtre de *pyramis*. Ce mot, *per-em-us*, y désigne la hauteur verticale d'une pyramide. Traduit littéralement, il signifie «ce qui monte [droit]» à partir de quelque chose. La signification de la syllabe *us* n'est malheureusement pas connue et le mot n'en demeure, par conséquent, que partiellement clair.

Mais accepter l'explication qui fait dériver *pyramis* de *per-em-us* implique soit que les Grecs ont mal compris le sens du terme égyptien, soit que, selon le processus linguistique de la synecdoque, ils ont pris la partie pour le tout. Rejetant totalement cette explication, les égyptologues ont considéré le terme *pyramis* comme un mot purement grec, sans aucun lien avec la terminologie égyptienne.

On a suggéré que les Grecs avaient utilisé ce mot en manière de plaisanterie, parce qu'il désigne "un gâteau de froment" et que, vue de loin, la pyramide leur paraissait un gros gâteau. Le mot *obeliskos* qui signifie à la fois "obélisque" et "brochette" offre un autre exemple de cette démarche humoristique consistant à adapter un terme descriptif à un objet n'ayant aucun rapport avec lui. Dans *Ancienne Egypte : la lumière du monde,* Gérald Massey propose une tout autre origine du mot. Il relie le mot au grec *pur* (prononcer *pyr*) signifiant "feu" et à l'égyptien *met* signifiant "dix" ou "une mesure". Il affirme que le mot vient, par conséquent, des dix mesures ou arcs originels tracés par le dieu du feu, le Soleil, à travers le cercle zodiacal. Cette théorie est fort plausible, étant donné que les Grandes Pyramides de Guizèh, entre autres, semblent construites selon des mesures sidérales. Le mot signifierait alors littéralement "une mesure en forme de dix", figure symbolique de la vie manifeste.

La controverse à propos de l'origine du terme "pyramide" n'est rien à côté de celle qui se déchaîne au sujet des pyramides elles-mêmes. Les égyptologues affirment que les pyramides étaient des tombes, et les péruvianistes et autres archéologues de la Méso-Amérique qu'elles remplissaient la fonction de temples. Et quelques pyramidologues croient maintenant que les pyramides sont peut-être des résonateurs ou des magasins d'énergie. Ils ont découvert que les fréquences émises par la terre elle-même (y compris les lignes de forces magnétiques) et la radiation cosmique se confondent dans la structure pyramidale et produisent un phénomène de résonance (de la même manière que deux touches de piano frappées simultanément produisent une tierce fréquence ou résonance). Ils suggèrent en outre que cette résonance produit une radiation énergétique.

On peut dès lors poser la question en ces termes : les pyramides ont-elles été construites dans le but précis d'emmagasiner ou de produire de l'énergie ? Si tel est le cas, à quoi servaient-elles ? Et comment les architectes ont-ils pu apprendre que c'était une utilisation possible des pyramides ?

Il n'y a pas de doute que toute civilisation ayant bâti des pyramides s'est fondée sur de savants calculs mathématiques et astronomiques ainsi que sur une connaissance de la maçonnerie de la pierre si poussée qu'elle nous semble impossible. C'est avec une précision infinie que des civilisations, séparées tant par des milliers de kilomètres que par des centaines d'années, ont manipulé des pierres de plusieurs centaines de tonnes pour l'édification de structures pyramidales. Etant donné que la même science et la même technique ont servi à l'édification de toutes ces pyramides, il est impossible d'écarter l'hypothèse d'une maîtrise transmise par des êtres venus d'ailleurs, étrangers aux civilisations terrestres. Si tel est le cas, d'où venaient-ils ? Comment sont-ils arrivés ?

Ont-ils enseigné l'astronomie et les mathématiques dans le seul but de faire construire des pyramides ? Ou y avait-il un autre motif à cet héritage laissé aux peuples des anciennes civilisations ?

Il est bien évident que ces questions n'ont pas encore de réponse. Peut-être un jour les archéologues découvriront-ils des documents qui permettront enfin de percer le mystère des pyramides. En attendant, les archéologues continueront de croire, comme ils l'ont fait pendant des siècles, que les pyramides étaient soit des temples, soit des tombes. Au-delà de cette théorie, officielle mais sans preuves, l'esprit curieux pourra chercher à élucider l'une des énigmes architecturales les plus fascinantes de tous les temps.

2

Les pyramides du Pérou

Bien que la civilisation soit apparue au Pérou plus de neuf mille ans avant notre ère, les archéologues n'ont commencé à exhumer les secrets de cette grande civilisation précolombienne qu'après 1940. Un peu plus tard, des fouilles ont mis à jour des bâtiments dont la construction présente des caractéristiques communes avec les structures pyramidales qui subsistent encore au Pérou. Ces anciennes "prépyramides" furent probablement construites aux environs de 1300 avant J.-C., quelque 1 500 ans avant que les énormes et magnifiques pyramides péruviennes du IIe siècle de notre ère ne soient érigées.

Les progrès culturels importants et assez rapides qui se sont produits aux environs de 1300 avant J.-C., semblent avoir coïncidé avec l'apparition de la civilisation Chavin. Cette civilisation, qui tire son nom d'un centre religieux situé à Chavin de Huantar dans les montagnes péruviennes, près de la rivière Maranon, est la pierre angulaire sur laquelle d'autres civilisations péruviennes postérieures s'établirent.

Selon les péruvianistes (archéologues s'occupant uniquement de fouilles péruviennes), le site de Chavin de Huantar est le plus vaste et le plus important des quelques sites typiques que nous connaissons. Il est possible que ses édifices de pierre, qui comprennent de nombreuses pièces impropres à l'habitation, aient comporté un centre de cérémonies forts semblable à ceux des Mayas d'Amérique Centrale.

Malheureusement, ce site n'a jamais été complètement étudié. Les archéologues ont été incapables d'en faire un plan détaillé, la plupart des pièces et des galeries des bâtiments les plus importants étant envahies par les décombres. Toute recherche s'avère désormais impossible, puisque le site de Chavin fut presque entièrement enseveli par un énorme éboulement de terrain en 1945.

Une exploration archéologique antérieure à 1945 a cependant permis de savoir que le complexe de Chavin s'étend sur plus de 250 mètres. Grâce à sa situation en altitude, Chavin était à l'abri des agents naturels destructeurs tels que la végétation tropicale et les vents violents. Ni le temps ni la nature n'ont érodé les chemins creux, les plates-formes élevées, les terrasses, les palais ou les édifices en pierre, qui sont tous orientés selon les points cardinaux et qui sont tous restés pratiquement intacts.

Le plus impressionnant et le mieux conservé des bâtiments de Chavin de Huantar est le Castillo, ou château, qui dépasse de loin en taille et en importance tous les autres édifices.

Le Castillo est d'une extrême complexité, sa structure est apparemment prépyramidale. Sa base, qui est à peu près carrée, comme la base de la plupart des pyramides, mesure 80 sur 75 mètres. Le Castillo atteint à peu près 15 mètres de haut ; ses murs extérieurs forment une pente s'inclinant légèrement vers l'intérieur plus on s'approche du sommet, et comportent des renfoncements qui constituent une série de terrasses étroites rappelant beaucoup les pyramides à degrés des Egyptiens.

De toute évidence, ce château remarquable par le niveau conceptuel de son architecture fut édifié après une minutieuse planification et construit par des artisans possédant une très grande maîtrise de la maçonnerie. L'intérieur du Castillo rappelle par bien des aspects la célèbre pyramide égyptienne. Il comporte trois étages construits par un procédé de maçonnerie à sec, où sont disposés horizontalement et verticalement des conduits de ventilation. Ces conduits furent si bien étudiés et réalisés, qu'ils servent encore à amener de l'air frais à l'intérieur du château. Les énormes murs épais furent construits en pierres délitées et remplis de moellons. Les murs extérieurs sont recouverts de grandes pierres rectangulaires soigneusement taillées, dont la disposition fait alterner pierres épaisses et pierres minces.

L'intérieur présente un labyrinthe typique des pyramides avec des murs, des pièces, des escaliers et des rampes. Les galeries ont environ 1 mètre de large, la rangée de pièces mesure environ 2 à 5 mètres de large. Ces pièces et ces galeries ont moins de 2 mètres de haut et sont de moindre volume que les murs et le reste de la maçonnerie. Il n'y a aucun éclairage, hormis celui qui est fourni par les conduits de ventilation. La seule ouverture vers l'extérieur est celle de l'entrée principale, que l'on atteint par un escalier en pierre rectangulaires taillées.

A Wilkawain près de Huaraz, dans les montagnes du Nord du Pérou, se trouve un autre site plus petit, construit dans la tradition architecturale pyramidale de Chavin. Le temple de Wilkawain est une petite réplique du Castillo de Chavin. Ce château en miniature mesure environ 12 mètres sur 18 mètres et a trois étages de rampes intérieures, d'escaliers, de galeries, de pièces et de conduits de ventilation. Chaque étage comporte plusieurs pièces principales plus grandes que celles du Castillo, mesurant au sol 2,5 mètres sur 7,5, et en hauteur plus de 2 mètres. Le toit, aux pignons composés de grandes dalles inclinées, est recouvert de pierres et de boue qui lui donnent une forme de dôme. Tout comme Chavin de Huantar, Wilkawain n'a jamais été complètement exploré à cause des pierres et autres débris qui obstruent totalement plusieurs pièces.

La culture née à Chavin s'est répandue dans tout le Pérou et a connu une période de prospérité de plusieurs milliers d'années. Au cours de cette période naquit un culte religieux qui nécessitait l'édification communautaire de temples et d'autres édifices religieux. La divinité la plus remarquable était un félin, puma ou jaguar, dont le nom est inconnu des péruvianistes. Le véritable but des complexes de Chavin et de Wilkawain échappe également à la compétence des spécialistes. Selon certains théoriciens, le Castillo était un tombeau, lieu de pèlerinage pour la population d'une région importante. Pour d'autres, ces complexes étaient des centres où toute la population se rassemblait en des occasions précises, telles que les jours de célébration cérémoniale ou les jours de marché.

Le développement de la culture Chavin semble s'être arrêté aussi brusquement qu'il avait commencé, aux environs de 300 avant J.-C. La culture péruvienne connut alors une phase de stagnation de cinq siècles environ, jusqu'à ce que, vers 200 après J.-C., deux nouvelles cultures fassent simultanément leur apparition. Ces deux civilisations, celle de *Mochica* sur la côte du Nord du Pérou, et celle de *Tiahuanaco,* ou *Wari-Tiahuanaco*, dans les montagnes du Sud, semblent avoir connu dès leur naissance un stade de développement avancé ; elles ont atteint toutes les deux leur apogée vers 600 après J.-C.

Le peuple de la civilisation *Mochica* a érigé de nombreux temples massifs, dont les plus célèbres sont les gigantesques pyramides jumelles de Mochica, près de la ville moderne de Trujillo. Ces pyramides jumelles sont connues aujourd'hui sus les noms de *La Huaca del Sol* (Le Temple du Soleil) et de *La Huaca de la Luna* (Le Temple de la Lune). Elles sont toutes deux constituées d'une énorme plate-forme en terrasse construite en adobe. Le Temple du Soleil possède même une pyramide en terrasse sur sa plate-forme. Le Temple du Soleil est l'édifice le plus gigantesque de la côte péruvienne. La plate-forme s'élève en cinq terrasses jusqu'à une hauteur de 20 mètres ; sa base mesure 150 mètres sur 250 mètres. Au sommet de la terrasse, une chaussée, qui mesure près de 7 mètres de large et 100 mètres de long, mène à l'extrémité nord de la pyramide. Une pyramide à degrés de 25 mètres de haut et de base carrée de

110 mètres de côté surmonte la plate-forme à son extrémité sud. Une estimation fait état de l'utilisation d'au moins cent trente millions de briques.

Bien que sa base soit beaucoup plus petite que celle du Temple du Soleil — elle ne mesure que 65 mètres sur 85 mètres —, la plate-forme du Temple de la Lune dépasse de 3 mètres environ la hauteur du Temple du Soleil. Au sommet de la plate-forme de *Huaca de la Luna*, il subsiste encore quelques pièces aux murs décorés de fresques. Ces peintures ont le dessin et les couleurs caractéristiques de la civilisation Mochica.

On trouve au Pérou, juste au sud de Lima, une autre pyramide Mochica. C'est le grand temple pyramidal de Pachacamac qui ombrage la vallée de Lurin. Le temple de Pachacamac s'étend sur cinq hectares environ, et s'élève jusqu'à près de 25 mètres de haut. Ce sanctuaire était si célèbre au cours des périodes inca et pré-inca qu'il était considéré au moment de la conquête espagnole comme la Mecque du Pérou.

Un épais mystère enveloppe les ruines de Tiahuanaco, derniers vestiges d'une culture qui a rivalisé dès sa naissance avec la culture Mochica. Pour certains, Tiahuanaco est le lieu de naissance des Amériques, et peut-être même le berceau de toute civilisation. Pour d'autres, Tiahuanaco était à l'origine une île qui sombra dans le Pacifique et qui fut soulevée jusqu'à sa hauteur actuelle en même temps que la chaîne des Andes. Selon une troisième hypothèse, Tiahuanaco était le siège d'un puissant empire mégalithique régnant sur le monde entier.

Tiahuanaco est situé à 4 300 mètres d'altitude, à une vingtaine de kilomètres du lac Titicaca, le plus haut lac navigable du monde. Avec un air raréfié, un climat froid et une nature presque sans arbres, Tiahuanaco semble mal désigné pour être le berceau de la civilisation. Cependant, en dépit de la nature inhospitalière (la plupart des gens éprouvent des difficultés à respirer dans cet air raréfié), ou peut-être à cause d'elle, de nombreux mystiques à travers le monde considèrent Tiahuanaco comme un véritable lieu saint.

Il est intéressant de noter à ce propos l'histoire du dieu créateur adoré à Tiahuanaco, que l'on nommait Viracocha et qui ressemble sur bien des points au dieux mexicain Quetzalcoatl.

D'après des sources anciennes, on a établi que Viracocha voyagea dans tout le pays pour instruire le peuple, puis partit des rives de l'Equateur pour traverser le Pacifique en marchant sur les flots !

La maçonnerie de Tiahuanaco est la meilleure et la plus monumentale de la région des Andes. Il y a quatre grands bâtiments et plusieurs autres plus petits répartis sur le site, occupant au total environ 480 mètres sur 1 000 mètres, soit environ un demi-kilomètre carré.

La construction la plus connue de Tiahuanaco est le Portail du Soleil, dont la renommée est mondiale. C'est un grand portail monolithique sculpté dans un énorme bloc d'andésite. Constituant sans aucun doute l'une des énigmes archéologiques des Amériques, le portail mesure 3,5 mètres de haut, 4 mètres de large, et pèse environ 10 et 12 tonnes. Selon les chercheurs, les Tiahuanacoans ont également construit le grand mur de Sacsahuaman, près de la cité de Cuzco. Constitué en fait de trois murs en terrasses, il atteint une hauteur totale de 20 mètres et s'étend sur plus de 600 mètres. Les blocs monolithiques de ce mur ont ceci de commun avec les pyramides qu'ils ont été ajustés avec une précision si grande qu'il serait impossible d'introduire une lame de rasoir affilée entre les blocs. Autre similitude : l'assemblage des pierres est réalisé par emboîtement, sans utilisation de mortier. L'une des plus grandes pierres du mur a 3,5 mètres de large, 5,5 mètres de haut, 3 mètres d'épaisseur, et pèse plus de 100 tonnes. La construction de ces deux édifices diffère notamment sur un point : les ouvriers qui ont construit le mur ont biseauté les bords de chaque bloc de pierre dans un but apparemment artistique. L'une des pierres est si délicatement ciselée qu'elle est devenue mondialement célèbre sous le nom de "Pierre aux douze angles".

Nazca est un autre site mystérieux situé sur la côte sud du Pérou. Région à la population jadis très dense et aux dimensions exactes encore inconnues, le site de Nazca possède un lieu unique, nommé *La Estaqueria* ou Place des Poteaux, sorte de Stonehenge en bois. C'est une zone de sable aplani, plantée d'un grand nombre de troncs d'arbres disposés selon des rangées et des groupes ordonnés. Les douze rangées de vingt troncs chacune forment pour la plupart un quadrilatère. Presque tous les poteaux isolés semblent avoir servi de colonnes. Ils ont des sommets fourchus et il est possible qu'ils aient porté un toit. De façon tout à fait étonnante, le bois est encore ferme et dur, bien qu'il ait été exposé aux éléments naturels pendant des milliers d'années.

Les civilisations Mochica et Tiahuanaco, comme la civilisation Chavin auparavant, semblent avoir connu une fin abrupte. Le Pérou connut ensuite une longue période de stagnation culturelle jusqu'à ce qu'une nouvelle culture surgisse, épanouie dès le départ, comme si elle s'était développée ailleurs et avait été transportée en pleine maturité au Pérou. Ce nouvel empire était celui des Incas. Treize empereurs incas ont, pendant plus de 300 ans — de 1200 à 1534 après J.-C. —, étendu la domination de leur civilisation sur près de 875 000 kilomètres carrés. Cet empire couvrait près de 2 000 kilomètres de ce qui constitue aujourd'hui le centre du Chili jusqu'au nord de l'Equateur.

Lorsqu'un empereur Inca mourait, à travers tout l'empire avaient lieu des cérémonies funèbres fort élaborées. Le corps de l'empereur, comme ceux des pharaons égyptiens, était conservé dans le palais par un procédé de momification inconnu. Les entrailles étaient prélevées et conservées dans des récipients spéciaux et son corps était enveloppé des tissus les plus raffinés. On servait ensuite la momie comme lors de son vivant.

Chez les Incas, l'homme du commun était enterré comme chez les Egyptiens, dans une tombe en forme de ruche placée au-dessus du sol. Le corps enveloppé dans des tissus ou dans des peaux était placé en position fœtale. Ces tombes étaient construites de façon rudimentaire, avec de la pierre, de l'argile et de la boue. Les corps se desséchaient sans se décomposer.

Les Incas n'ont pas construit de pyramides. Il semble plutôt qu'ils aient reconstruit des pyramides déjà existantes dans toutes les villes Incas importantes, tout comme ils ont agrandi les grands centres cérémoniaux des plus grandes villes pour les adapter aux besoins religieux de l'empire Inca. Les bâtiments les plus grands et les plus impressionnants qui nous restent aujourd'hui des anciennes civilisations péruviennes sont ces édifices construits grâce au gouvernement Inca et planifiés par des architectes d'Etat.

Avec la conquête espagnole de l'empire Inca, tous les documents sur la civilisation pré-inca furent détruits. Tous les documents existant sur l'empire Inca et sur les légendes de son origine sont ceux qui ont été rassemblés par les historiens espagnols au moment de la conquête. S'il y eut jamais des histoires écrites de Chavin et d'autres civilisations pré-incas, elles sont aujourd'hui perdues à tout jamais. Tout ce qui reste, ce sont les grandes pyramides — provocantes reliques de civilisations glorieuses inexplicablement arrêtées à leur apogée.

3

Grandeur de la civilisation Maya

L'évolution des grandes civilisations du Pérou s'est faite, pour autant que les archéologues aient pu le constater, en parallèle avec le développement de civilisations très semblables situées dans la région d'Amérique Centrale, connue aujourd'hui sous le nom de Mexique. Bien que les connaissances sur ces civilisations soient relativement limitées, deux faits demeurent indiscutables : les deux cultures ont produit des structures pyramidales extraordinairement complexes et imposantes, et elles se sont largement appuyées sur des calculs astronomiques pour l'établissement des plans et la construction de leurs édifices architecturaux. Il n'y a rien de très surprenant à cela, si ce n'est que les archéologues

39

croient en l'insularité des deux cultures, prétendant qu'aucune d'entre elles n'avait la moindre connaissance de l'autre.

La civilisation méso-américaine (ou d'Amérique Centrale) ne peut pas être antérieure de beaucoup à 1500 avant J.-C. Cette culture, connue sous le nom de civilisation Maya, a toujours excité l'imagination de l'explorateur et du savant. Certains mystiques professent une théorie selon laquelle les Mayas seraient originaires des continents perdus de l'Atlantide et de Mu. Les archéologues et les historiens, dont l'imagination est moins débordante, considèrent que les Mayas sont originaires des Amériques et pensent tout simplement que ce peuple a su développer sa civilisation mieux que ses voisins.

On croit maintenant que la plus ancienne des civilisations Mayas est celle des Olmèques, peuple qui vécut et se développa dans la région que l'on appelle aujourd'hui Sud de Vera Cruz et de Tabasco. Des fouilles archéologiques effectuées dans ces régions ont permis de mettre à jour d'immenses têtes de pierre, des formules religieuses et des formules de calendriers inscrites sur des stèles de pierre. L'art religieux des Olmèques est remarquable par ces portraits d'êtres étranges, dont les visages sont soit gonflés et infantiles, soit grotesques comme des monstres à l'aspect de tigres.

La principale figure religieuse des Olmèques est décrite comme un vieil homme, généralement représenté dans une position assise, avec la tête baissée. Sur ses épaules et sa tête un bol, probablement utilisé pour brûler de l'encens. Ce dieu fut adoré par les civilisations successives de la Méso-Amérique. Les Aztèques, dont nous parlerons plus tard, l'appelaient

40

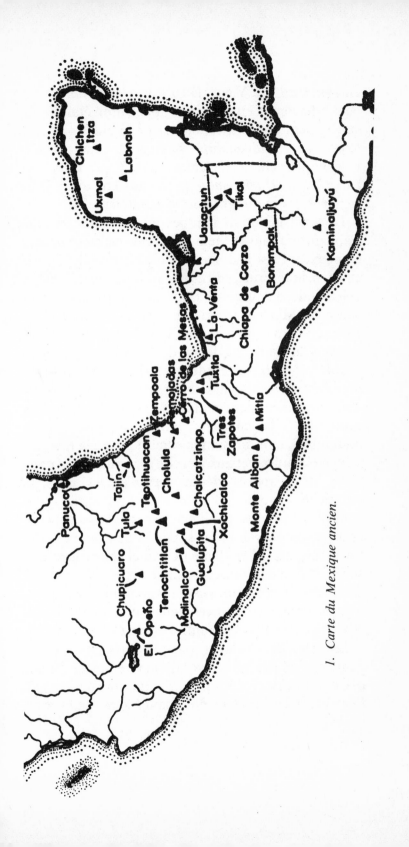

1. Carte du Mexique ancien.

Huehueteotl, Le Vieux Dieu, ou *Xiuhtecuhtli,* Seigneur du Feu. Cette dernière appellation était particulièrement appropriée, étant donné que les adorateurs de *Xiuhtecuhtli* habitaient une région volcanique. On a également pensé que ceux qui l'appelaient *Huehueteotl* représentaient ainsi l'ancienneté des montagnes où ils habitaient.

La construction de l'un des sites religieux les plus frappants de tout le Mexique ancien est attribué aux Olmèques. C'est le dôme de Cuicuilco, ovale, massif et en brique crue, édifié en bordure de la chaîne volcanique d'Ajusco, à l'extrémité sud-ouest de la vallée de Mexico. Ce remblai est d'un diamètre de 120 mètres environ et il possède une large rampe qui s'élève à 20 mètres au-dessus du sol vers le sommet de l'édifice. Il est recouvert de galets de rivière, peut-être pour éviter l'érosion des pluies saisonnières, ou peut-être simplement pour renforcer l'effet de majesté. Le peuple de Cuicuilco n'a pas bâti un temple au sommet du remblai, mais un simple autel exposé à la fois aux éléments naturels et aux yeux de la population. Grâce à ses lignes douces, dépourvues d'angles aigus, le monticule évoque d'emblée la religiosité. Au contraire, l'autel est rectiligne, avec des murs en pente et deux marches dont les supports de rampes ont la forme de vases. Les flancs de l'autel constituent une surface lisse de brique crue, analogue au plâtre utilisé dans l'architecture qui s'est plus complètement développée dans des édifices religieux construits des siècles plus tard dans d'autres parties du monde.

Les gens de Cuicuilco ont plusieurs fois remis à neuf leur édifice religieux. Ils ont remplacé l'autel deux fois, en construisant un autre directement sur l'autel existant. Puis ils ont changé le revêtement en

42

remplaçant les galets de rivière par des blocs de lave de forme anguleuse.

Le commencement de la disparition de la civilisation Olmèque a été marqué par l'éruption du volcan Xitli qui a recouvert de lave le tiers supérieur du monticule. Il semblerait que la civilisation ait cessé de s'épanouir à la suite de cet événement et qu'elle disparut peu après.

Il semble que la civilisation Olmèque ait été parallèle à celle des Zapotèques, située dans les montagnes d'Oxaca, au sud-ouest du pays des Olmèques. Leur art et leur écriture étaient très différents de ceux des Olmèques. Les calculs de calendriers étaient inscrits avec une écriture particulière et leur système fixait la date selon un cycle de cinquante-deux ans.

Leur site principal de cérémonie — Monte Alban — prouve que les Zapotèques étaient très évolués. Ce site couvre une petite montagne qui constitue, par son nivellement et ses terrasses, une gigantesque plate-forme naturelle sur laquelle sont édifiés des bâtiments tels que des temples et des salles de cérémonie.

La civilisation Zapotèque a soudainement et inexplicablement disparu, tout comme celle des Olmèques ou d'autres civilisations anciennes d'Amérique.

Une grandiose civilisation cérémonielle, connue sous le nom de Teolihucan, est apparue aux environs de 600 avant J.-C. Située dans la vallée de Tehotihuacan, elle est traditionnellement connue sous le nom de "Site des Dieux". Dans une vaste zone de près de 3 kilomètres de large et de 5 kilomètres de long, des bâtiments groupés forment un ensemble imposant. Le sol de cette zone a été plâtré à plusieurs reprises. De toute évidence, ce n'était ni une ville quelconque, ni un simple centre religieux fait de temples et de maisons.

Les architectes ont établi leurs plans et construit leur métropole selon des enceintes successives s'étendant au sud de l'imposante Pyramide de la Lune. Ce n'était pas une véritable pyramide ; elle était tronquée à son sommet pour recevoir une autre pyramide, et les flancs de la plate-forme étaient habilement dessinés pour ménager des terrasses. Un large escalier partant d'une cour rectangulaire menait au sommet de la face sud de la plate-forme. Des bâtiments supplémentaires flanquaient le Palais de la Lune. Plusieurs centaines de mètres à l'ouest et à l'est, deux enceintes plus petites ajoutaient à la symétrie du plan.

Deux impressionnantes rangées de grands bâtiments mènent au sud du Palais de la Lune. Des fouilles entreprises dans l'un d'entre eux en ont révélé le contenu, permettant de supposer qu'il s'agirait du Temple de l'Agriculture. A l'est, on trouve des groupes de monticules moins importants. Complètement au sud, se trouve un groupe de bâtiments et de temples plus important qui n'a pas encore fait l'objet de fouilles et que l'on appelle le "Groupe des Colonnes" à cause de quelques objets manufacturés trouvés à proximité.

La Pyramide du Soleil écrase toutes les autres constructions de Teotihuacan. Cette pyramide massive est, comme la Pyramide de la Lune, tronquée au sommet. Avec une base carrée de près de 200 mètres de côté, elle s'élève en quatre terrasses jusqu'à plus de 60 mètres. Les côtés de la pyramide ont été construits en terrasses pour donner l'impression d'une masse encore plus imposante. La finition des flancs était également en pierre avec un revêtement de plâtre, mais la pyramide elle-même a été construite en brique crue.

La Pyramide du Soleil donne l'illusion d'une hauteur et d'un espace infinis. Habilement calculés, les plans reliant les terrasses sont conçus de telle sorte qu'un observateur se tenant à la base du grand escalier ne puisse voir des gens situés au sommet. Lorsque l'escalier était utilisé pour des cérémonies religieuses, l'effet devait probablement être saisissant : le spectateur assistait à une procession bien réglée de prêtres et d'officiels disparaissant dans l'espace au fur et à mesure qu'ils gravissaient les escaliers pour se joindre, sans être vus par la congrégation, à l'infinité de l'univers et à l'image du dieu.

La Pyramide du Soleil est construite sur une vaste plate-forme constituée de cellules carrées. La plate-forme aux murs de brique crue est remplie de moellons et de pierraille. On peut penser, d'après les ruines, que les maisons des prêtres s'étendaient peut-être en dehors de la pyramide, sur la plate-forme. Plus au sud, on trouve de plus petits groupes de monticules comprenant plusieurs habitations de prêtres et un temple mineur rassemblés autour d'une place. Dans l'un de ces groupes, les sols sont en mica, élément dont la signification cérémoniale nous est inconnue.

De l'autre côté d'une rivière qui coule vers le sud, s'étend une magnifique plate-forme dont les murs sont couverts de blocs gravés. Le temple qui la couronnait a disparu. Elle semble avoir été construite en l'honneur du Dieu de la Pluie, *Tlaloc*, même si on l'appelle Temple de Quetzalcoatl.

La ville de Teotihuacan a été sciemment conçue de manière à produire l'illusion d'une masse et d'une taille imposante. Elle a été construite avec des

45

bâtiments groupés selon un axe nord-sud, latéralement interrompu par l'enceinte des édifices orientés
selon l'axe est-ouest. Quel que fût l'angle sous lequel
on approchait Teotihuacan, l'œil était gracieusement
guidé vers un point d'intérêt, étant donné la disposition du lieu et le rapport des masses. On évitait ainsi
que la distance ne réduise l'effet recherché. A
l'intérieur du périmètre, les murs d'enceinte isolaient
l'observateur du reste de la ville et renforçaient ainsi
l'énormité de chaque temple.

Même les pyramides d'Egypte n'étaient pas
conçues pour signifier aussi précisément à l'individu
l'élévation de l'âme et l'éveil de pouvoirs intérieurs.
On ne peut manquer d'associer proportionnellement
l'importance du temple à la puissance du dieu à qui il
est consacré.

Quelque temps après l'édification de la ville de
Teotihuacan, on assiste à une mystérieuse rénovation. Tous les bâtiments ont été reconstruits, de la
Pyramide de la Lune située au nord jusqu'au temple
de Quetzalcoatl. Les façades ont été recouvertes et les
pièces remplies afin de créer des plates-formes destinées à de nouvelles pyramides. Même les énormes
carcasses des Pyramides du Soleil et de la Lune n'ont
pas échappé à l'addition de nouveaux escaliers, au
rajout des façades. Bizarrement, c'est le temple de
Quetzalcoatl qui a subi la plus grande modification.
Ce temple est devenu le noyau d'une plate-forme
élevée supportant un énorme enclos entouré d'un
rempart. Sur trois de ses côtés, ce rempart portait
quatre plates-formes plus petites. Sur le quatrième
côté — le mur oriental —, on a construit les
fondations de trois temples analogues derrière l'édifice principal. Bien que la reconstruction ait

probablement concerné l'ensemble du centre religieux, il n'y a pas de changement suffisamment important dans les styles des poteries ou des figurines pour que l'on puisse suggérer que la rénovation a été l'œuvre d'une autre culture qui aurait militairement conquis les Teotihuacanos. La nouvelle architecture possède, par contre, toutes les marques distinctives d'une réforme religieuse avec la destruction du symbolisme d'un culte et l'instauration d'un culte nouveau.

Dans le voisinage de Teotihuacan, à quelques kilomètres de la ville sainte, d'énormes habitations communales ont été construites, avec cinquante à soixante pièces disposées autour de patios reliés par des passages. Les pièces étaient de brique crue et en moellons recouverts de plâtre, et les habitants connurent apparemment une vie de confort et de sécurité. Il y avait également un autel ; les rites religieux n'étaient pas confinés au seul site cérémonial.

Teotihuacan a exercé sur tous ses voisins une influence profonde. C'est évident à Morelos, dans la vallée de Toluca, et c'est très sensible à Puebla où les Teotihuacans ont construit, à Cholula, tout le site d'un temple de grande envergure. Si les fouilles que l'on y a menées n'ont guère révélé d'objets sculptés, les archéologues y ont découvert un temple avec une décoration de fresque représentant le dieu Papillon — être mythologique important dans la religion de Teotihuacan.

La majestueuse cité de Teotihuacan a été reconstruite plusieurs fois. Il est probable que la rénovation a eu lieu, pour satisfaire aux exigences cultuelles de la reconstruction et de la remise à neuf, au début ou à la fin d'un cycle de cinquante-deux ans. La troisième reconstruction fut exécutée en hâte avec une utilisation maximale de la construction d'origine. Cette reconstruction finale a introduit le culte de nouveaux dieux, marquant la fin de l'utilisation de Teotihuacan comme capitale sacrée.

Le premier peuple mentionné dans les annales de la vallée de Mexico sont les Toltèques de Tula, ou maîtres bâtisseurs. Ce peuple apparut aux environs de 900 après J.-C., mais ses coutumes, ses réalisations sont tellement enveloppées de mystère, chargées de contradictions et d'illogisme, que les archéologues ont longtemps remis en cause jusqu'à leur existence.

Les Toltèques ont été décrits comme de brillants architectes, charpentiers et mécaniciens, et comme de très habiles agriculteurs. Ils ont construit leurs pyramides, leurs palais et leurs maisons en pierre et mortier. Ils utilisaient le *temascal* ou bain de vapeur. Ils comptaient les années et utilisaient l'almanach sacré de deux cent soixante jours.

L'histoire et les vestiges des Toltèques sont aussi méconnus que leur sociologie et leur religion. L'histoire écrite par Ixtlixochitl commence avec la création du monde et avec les quatre soleils ou ères, à travers lesquelles la vie a survécu. La première ère, l'Eau-Soleil, commença lorsque le dieu suprême Tloque Nahuaque créa le monde. Puis il fut détruit par des éclairs et des inondations au bout de 1 716 ans, soit trente-trois cycles de cinquante-deux ans. La seconde ère, celle du Soleil de la Terre, vit le monde peuplé de géants, nommés Quinametzin, qui ont presque disparu lorsque des tremblements de terre ont tout effacé de la Terre. Puis vint le Vent-Soleil, et les Olmèques, tribus humaines, vivant sur la terre. Les Olmèques ont détruit les derniers géants, fondé

Cholula, et se sont déplacés jusqu'à des régions aussi lointaines que Tabasco. Un individu spectaculaire nommé Quetzalcoatl par les uns, Huemac par les autres, est apparu au cours de cette ère, apportant avec lui éthique et civilisation. Quand le peuple ne semblait pas tirer profit de ses enseignements, Quetzalcoatl retournait à l'Est, vers son lieu d'origine, en prophétisant alors la destruction du monde par de grands vents et la conversion du genre humain en singes. Et l'histoire raconte comment tout cela se produisit. Le quatrième âge, l'âge actuel, est appelé Soleil de Feu, et doit s'achever par une conflagration générale. Voilà l'histoire des Toltèques telle qu'elle est rapportée par Ixtixochitl.

La culture Toltèque était très cosmopolite et, bien qu'elle fût de courte durée, elle établit la structure de l'empire adoptée plus tard par les Aztèques. Son influence, répandue d'un bout à l'autre de la Méso-Amérique, est encore particulièrement forte dans le Yucatan.

Il est difficile d'affirmer que telle ou telle pyramide et que tel ou tel édifice appartiennent à telle ou telle période, car les constructions des Toltèques ont été par la suite recouvertes par celles de cultures successives. On attribue généralement la construction de la plupart des pyramides mexicaines aux Teotihuacanos ou, éventuellement, à un peuple d'une civilisation beaucoup plus ancienne.

La dernière et la plus grande civilisation Maya fut celle des Aztèques qui, selon les archéologues, a probablement son origine à Cholula, dans l'Etat de Puebla.

Cholula était occupé, à l'origine, par quelque peuple préclassique, qui tomba ensuite sous la domination de la civilisation Teotihuacan. A cette époque, les habitants ont édifié une vaste enceinte cérémonielle, un dédale de temples, de plates-formes et d'escaliers, en utilisant des moellons recouverts de plâtre. Enfin, quelques nouveaux venus ont réalisé, probablement avec l'aide de la population locale, la tâche prodigieuse de convertir l'enceinte en une seule grande plate-forme dédiée, selon la tradition, à Quetzalcoatl. Cette gigantesque construction nécessita le remplissage de chaque bâtiment, de chaque cour, par de la brique crue. Au sommet furent érigés des autels et des quartiers pour le clergé cérémoniel. Dans l'un des autels, l'autel de Los Craneos, deux personnes sont enterrées avec une offrande mortuaire constituée de récipients en poterie ressemblant à ceux qu'utilisaient les Aztèques. Les archéologues en ont conclu que c'est à Puebla que réside probablement la source et l'inspiration de la civilisation Aztèque.

La civilisation Aztèque fut menée à son apogée par les Tenochcas, Aztèques de la ville de Mexico, aux environs de 1400 après J.-C. Cependant, les Tenochcas ne sont pas à l'origine de cette civilisation, pas plus qu'ils n'y ont contribué par l'introduction d'un culte sacrificiel.

Comme tous les peuples des grandes civilisations anciennes, les Aztèques avaient une connaissance très poussée de l'astrologie. La découverte du grand calendrier de pierre, construit en 1479 par le chef Aztèque Axayacatl, convainquit les archéologues de ce que le savoir des Aztèques en la matière dépassait celui d'autres civilisations. Fondé sur un système mathématique et astronomique extrêmement complexe, la Pierre-Calendrier est restée incompréhensible jusqu'à la découverte de textes se rapportant au calendrier. Ces derniers ne se contentaient pas de faire la lumière sur la signification de la pierre, mais ils aidaient aussi au déchiffrage des hiéroglyphes Aztèques.

La grande Pierre-Calendrier pèse plus de 20 tonnes, a un diamètre de plus de 4 mètres, et fut taillée dans un bloc monolithe. Au centre, le dieu Soleil Tonatiuh est flanqué de quatre formes ornementales représentant les quatre âges antérieurs du monde, leur addition indiquant la date de notre ère actuelle. L'élément central est encerclé par les noms des vingt jours du mois Aztèque. Ces derniers sont à leur tour entourés d'une bande qui comporte des glyphes de jade ou de turquoise symbolisant les cieux. Cette bande est elle-même entourée par les signes des étoiles qui, traversés par les rayons du soleil, forment un emblème. Deux immenses serpents de feu, symbolisant l'Année et le Temps, parcourent le bord extérieur de la pierre et se rencontrent face à face à la base.

La grande Pierre-Calendrier devrait apporter une aide considérable aux anthropologues et aux historiens pour reconstituer la chronologie de la Méso-Amérique. Les opinions divergent cependant sur la manière dont il faudrait mettre en corrélation les dates trouvées sur la pierre et les dates chrétiennes. On a procédé à divers calculs pour essayer d'ajuster le calendrier Aztèque au calendrier chrétien, mais cela implique à chaque fois une erreur de quelque deux cent soixante ans dans la traduction de la datation Aztèque en termes chrétiens. Cette divergence a naturellement entraîné des interprétations différentes de la chronologie méso-américaine.

La source de la civilisation Aztèque reste, tout comme sa disparition, un mystère pour les archéologues, anthropologues et historiens qui ont rarement accès aux vestiges historiques, seulement des fragments de poterie et d'autres objets manufacturés à partir desquels ils ne peuvent construire que de vagues théories. Il faut espérer qu'il y aura, en Méso-Amérique, d'autres découvertes qui, comme la grande Pierre-Calendrier et les textes concernant le calendrier, apporteront la lumière sur les croyances, et même les actions et les motivations du peuple qui la construisit. Le mystère des pyramides de la Méso-Amérique demeurera tant que de telles découvertes n'auront pas été faites.

4

Les anciens Egyptiens : bâtisseurs de pyramides

L'âge des pyramides égyptiennes s'ouvrit avec la troisième dynastie et se referma avec la sixième dynastie. La datation des trente et une dynasties des rois d'Egypte que l'on trouve dans l'*Histoire de l'Egypte* de Manetho est acceptée par tous les égyptologues. Pour faciliter la description des changements les plus importants de l'histoire égyptienne, on peut grouper les trente et une dynasties en neuf périodes principales :

Périodes dynastiques [1]

3100-2686 av. J.-C.   Début de la période 1e et 2e dynastie
                      dynastique

---

1. Selon I.E.S. Edwards, dans *Les Pyramides d'Egypte*.

2686-2181 av. J.-C.	Ancien Empire	3e et 6e dynastie
2181-2133 av. J.-C.	Première période Intermédiaire	7e à 10e dynastie
2133-1786 av. J.-C.	Moyen Empire	11e et 12e dynastie
1786-1567 av. J.-C.	Deuxième Période Intermédiaire	13e à 17e dynastie
1567-1080 av. J.-C.	Nouvel Empire	18e à 20e dynastie
1080-664 av. J.-C.	Nouvel Empire Tardif	21e à 25e dynastie
664-525 av. J.-C.	Epoque Saïte	26e dynastie
525-332 av. J.-C.	Basse Epoque	27e à 31e dynastie

Quatre-vingts pyramides environ furent construites au cours de l'âge des pyramides. C'est en lisière du désert, sur la rive ouest du Nil, non loin de Memphis, que presque toutes se trouvaient. Memphis fut probablement choisi comme siège du gouvernement par Ménès, premier souverain dynastique d'Egypte. Il y avait à l'origine deux royaumes d'Egypte. Le Royaume de Haute-Egypte s'étendait d'Assouan à Memphis ; le Royaume de Basse-Egypte s'étendait de Memphis à la région du Delta. Pour rendre hommage à l'unification des royaumes par Ménès, les pharaons ont ajouté à leurs titres celui de "Roi de Haute et de Basse-Egypte".

C'est à l'âge des pyramides que s'est développée une religion officielle. On pense qu'elle dérive du culte (d'origine inconnue) célébré dans un temple au clergé puissant. L'objet le plus sacré de ce temple était le *benben*, sans doute une pierre de forme conique symbolisant le monticule originel qui émergea des eaux primordiales lors de la création de l'univers. On

56

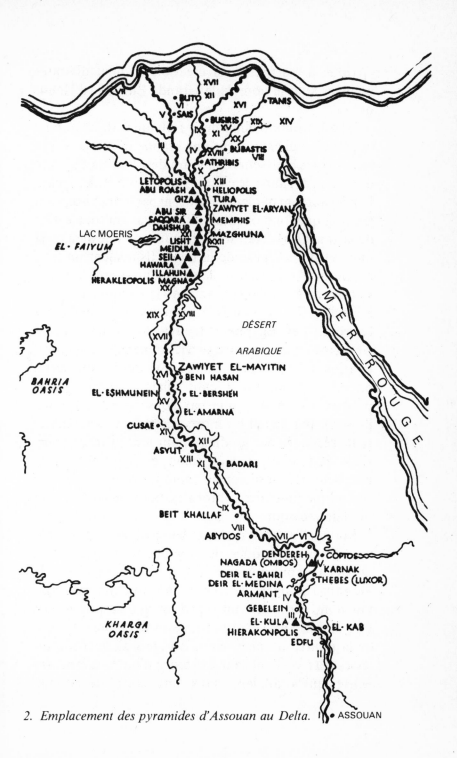

2. *Emplacement des pyramides d'Assouan au Delta.*

attribue à ces prêtres la création de neuf divinités connues sous le nom de la Grande Eunéade d'Héliopolis.

L'adoration de deux de ces divinités donna lieu à des cultes qui exercèrent une grande influence sur la religion des bâtisseurs de pyramides : l'un était le culte du Soleil, et l'autre le culte d'Osiris. Ils n'étaient reliés l'un à l'autre ni par leur origine, ni par leur conception théologique fondamentale. Rê était avant tout le dieu de la vie ; Osiris était fondamentalement le dieu de la mort et de la région de la mort. Ils avaient un trait commun d'importance : la survivance après la mort. Osiris fut magiquement ramené à la vie après avoir été assassiné. Rê, ou dieu Soleil, renaissait chaque jour à l'aurore. Les Egyptiens trouvaient là une raison d'espérer en leur propre survie. Cependant, la continuation de la vie après la mort physique n'était pas un phénomène naturel. C'était quelque chose qui ne pouvait être assuré que par l'observance du rituel prescrit, par lequel les morts recevaient l'aide matérielle réclamée par les dieux pour leur propre survie. C'est de là que provient, selon les égyptologues, la nécessité de consacrer au mort un tombeau et une cérémonie funéraire conformes, pour l'essentiel, à un modèle reconnu.

Malgré l'attention méticuleuse qu'ils apportaient aux détails pratiques, les Egyptiens ne parvinrent jamais à établir une conception claire et précise de la vie dans l'au-delà. Ils croyaient que tout individu était fait d'un corps et d'un esprit, et que l'esprit restait vivant si le corps était préservé après la mort et muni de la nourriture nécessaire. On ignorait l'endroit où les esprits vivaient leur existence d'outre-tombe, on pense qu'ils allaient dans une sorte de monde souterrain dont l'accès se faisait par la fosse de la sépulture.

Aux époques prédynastiques, les morts étaient enterrés dans des fosses ovales ou rectangulaires creusées dans le sable. Les corps étaient placés en position fœtale, enveloppés d'une natte de roseau et posés sur le flanc. Puis, à l'époque dynastique, les rois et les nobles commencèrent à faire édifier un *mastaba* sur leur tombe. C'était une superstructure de boue séchée au soleil, placée sur la fosse sépulcrale. Il est très probable que chaque *mastaba* était la copie fidèle d'une maison ou d'un palais. C'est probablement pour cette raison que la tombe était considérée comme le lieu d'habitation des morts. Un *mastaba* fort intéressant fut découvert vers 1950 par W.B. Emery. Il date du règne d'Aha dans la première dynastie. Sous le *mastaba*, une tranchée, peu profonde et de forme rectangulaire, était divisée en cinq compartiments. Le compartiment central contenait probablement le corps, et les autres les biens personnels du défunt. Sur la fosse, le *mastaba* présentait un intérieur divisé en vingt-sept cellules contenant neuf rangées de trois cellules chacune. Les murs extérieurs étaient inclinés à partir de la base et le sommet tronqué. Les couloirs, généralement utilisés pour relier les pièces, étaient ici totalement absents, puisque l'on pensait que l'esprit du défunt pouvait traverser sans peine toute barrière matérielle.

Jusqu'à la fin de la seconde période dynastique, les *mastabas* étaient en briques, avec quelques pièces tapissées de pierre d'habillage. Puis, au cours de la troisième dynastie, les constructeurs ont commencé à utiliser la pierre pour l'ensemble de la construction du *mastaba*. La première tombe construite en pierre est connue sous le nom de Pyramide à Degrés. Sa construction est attribuée à Imhotep, architecte de Djeser et inventeur présumé de l'art de bâtir avec des pierres taillées. La chose semble confirmée par la présence du nom d'Imhotep sur le piédestal d'une statue trouvée à l'extérieur de la tombe de Djeser.

Les exploits d'Imhotep étaient devenus légendaires pour les Egyptiens qui le considéraient non seulement comme un architecte, mais aussi comme le père de la médecine et comme un excellent astronome et magicien. Les générations suivantes le déifièrent ; pour les Grecs, il égalait leur propre dieu de la médecine.

Le site choisi par Imhotep était une bande de terrain élevé dominant la ville de Memphis et mesurant environ 545 m sur 278 m, le plus grand côté étant orienté selon l'axe nord-sud. La Pyramide à Degrés était l'élément dominant d'un grand ensemble de bâtiments et cours très semblables à ceux que l'on trouve au Pérou et au Mexique. Le périmètre de l'ensemble était ceint d'un énorme mur de pierres.

La Pyramide à Degrés de Djeser était une construction massive, s'élevant en six degrés jusqu'à une hauteur de 61,20 mètres environ, à partir d'une base presque carrée de 123,30 mètres sur 107,40 mètres. Tout comme les pyramides Mayas, cette pyramide a, selon toute probabilité, subi plusieurs modifications dans son plan. Le noyau de la pyramide est une solide structure carrée consistant en un cœur de pierre recouvert d'un parement en calcaire de Tourâh. Ce noyau semble avoir été un *mastaba* de base carrée de 62,10 mètres de côté et de 7,80 mètres de haut.

La substructure de la pyramide comporte un puits d'environ 30 mètres de profondeur, donnant accès à un labyrinthe de pièces et de galeries, dont certaines n'ont jamais été achevées à l'époque de la construction ou ont été des rajouts avortés d'une rénovation postérieure. Au fond du puits, se trouve la chambre mortuaire. Elle mesure 2,96 mètres de long, 1,65 mètre de large, 1,65 mètre de haut, et est entièrement construite en granit rose d'Assouan. A son extrémité nord, un orifice avait été creusé pour permettre le passage du corps. Après l'enterrement, le trou était obstrué par un énorme bouchon de granit de 1,75 mètre de long, et pesant environ 3 tonnes.

Le mur d'enceinte du site de la Pyramide à Degrés était revêtu de pierres calcaires de Tourâh. Il mesure

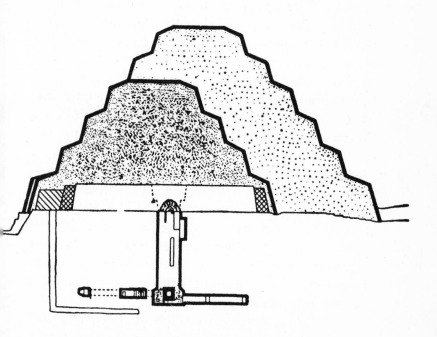

3. La Pyramide à Degrés.

environ 10 mètres de haut, et la longueur totale couvre un périmètre dépassant 1 500 mètres.

Les générations suivantes d'Egyptiens ont tenu le complexe architectural de la Pyramide à Degrés en très haute estime, ainsi que le prouvent des hiéroglyphes que l'on trouve sur les murs des galeries de quelques bâtiments attenants situés dans la cour, et qui expriment l'admiration ressentie par les Egyptiens qui ont visité le complexe mille ans après sa construction.

Il est difficile de croire que le degré de perfection atteint par la construction architecturale de Djeser ait pu surgir sans être le fruit d'un long processus de développement et d'élaboration. Il n'existe pourtant aucune trace de l'utilisation de la pierre dans un édifice plus ancien, si ce n'est pour quelques éléments de construction isolés. Cependant, étant donné l'utilisation de petits blocs de pierre pour la construction de la Pyramide à Degrés — plutôt que d'énormes blocs monolithes comme dans les constructions plus tardives —, on peut supposer que la technique de l'extraction et de la manipulation de blocs massifs n'était pas encore au point. Pour les archéologues, cet argument est pertinent. Cependant, il semble qu'Imhotep, malgré tout son génie et toute son invention, ne possédait pas les moyens de développer les techniques nécessaires à cette maçonnerie. C'est pourquoi quelques égyptologues pensent qu'il n'était pas nécessaire d'utiliser de larges blocs de pierre; pour cette construction particulière, les pierres plus petites suffisaient.

Il ne reste que très peu de chose du complexe situé dans l'enceinte qui entourait la Pyramide à Degrés. Et ce qui attendait les archéologues qui pénétrèrent dans les différentes chambres était encore plus décevant ; des pillards avaient pratiquement enlevé tous les objets ayant la moindre valeur. Tout ce qui restait, c'étaient les murs de tuile, quelques cercueils vides, et quelques fragments d'os humains.

Sekhemkhet, l'un des successeurs de Djeser, a choisi pour l'édification de son propre site un lieu proche du complexe de la première Pyramide à Degrés. Il a placé son enclos à l'angle sud-ouest du complexe de Djeser, en lui donnant une longueur à peu près égale, et une largeur des deux tiers environ. Prévue sur une base d'environ 119 mètres, la pyramide aurait atteint, en sept étages, la hauteur approximative de 70 mètres, mais comme le règne de Sekhemkhet fut très court (six ans), les travaux ne furent jamais achevés. Par la suite, l'édifice servit de carrière, ce qui rend impossible toute connaissance de la hauteur originelle.

L'intérieur de la pyramide de Sekhemkhet ressemble à celui de la pyramide de Djeser, avec un labyrinthe de couloirs, de pièces, de portes et de galeries bouchées. Vers 1950, les fouilles de cette pyramide révélèrent que le couloir principal du puits vertical était intact. Obturé en trois endroits, le puits conduisait au couloir, mais l'accès à la chambre funéraire était encore bloqué par d'épais murs de pierres. Il n'y avait aucune trace de pilleurs de tombes et, quand l'expédition, menée par Zakaria Goneim pour le compte du service des Antiquités du gouvernement égyptien, pénétra dans la chambre funéraire, elle trouva un sarcophage fermé et scellé, sur lequel était placée une couronne. Ce sarcophage tout à fait exceptionnel était taillé dans un seul bloc d'albâtre. Le couvercle, au lieu d'être d'un seul tenant, possédait à l'une de ses extrémités un panneau mobile, manipulé par une corde et un système de poulie. Le plâtre qui avait scellé le panneau dans son cadre après la fermeture rituelle montrait bien qu'il n'avait pas été touché depuis les funérailles. Quand on ouvrit le sarcophage, il se révéla vide. Les archéologues ont du mal à expliquer un tel mystère. On a évidemment émis plus d'une théorie à ce sujet. Et, entre autres, que le corps et ses riches ornements ont été volés avec la connivence des prêtres et des dignitaires chargés de l'enterrement. Une autre suggère que toute la chambre funéraire était factice et destinée à protéger l'endroit où se trouvait vraiment la momie, mais cette tombe, située ailleurs dans la pyramide ou dans un autre édifice, n'a pas encore été découverte.

Une troisième pyramide à degrés, attribuée à un roi obscur du nom de Khaba, est située à Zaoui el Aryan. Il ne s'agit pas là d'une véritable pyramide à degrés, mais plutôt d'une pyramide disposée en couches, d'où le nom de Pyramide à Tranches. Sa superstructure couvre une surface carrée de 82,80 mètres de côté et, bien qu'elle n'ait jamais été achevée, il semble que l'architecte prévoyait de doter cet édifice de six ou sept degrés.

Elle diffère des deux pyramides précédentes par le détail de sa substructure, mais elle leur reste identique pour l'essentiel du complexe architectural. L'absence de sarcophage et de mobilier funéraire laisse penser non seulement que la pyramide n'a jamais servi, mais encore que les travaux de construction n'ont jamais atteint un stade avancé.

On a trouvé dans les troix complexes de pyramides à degrés, des bâtiments funéraires presque identiques, mais dans un état de conservation assez variable. Cela pourrait signifier que le complexe de la pyramide de Djeser était devenu si classique que les deux architectes suivants ont décidé de le copier avec exactitude, ne s'autorisant qu'une liberté ; celle de modifier la substructure. Cela pourrait également signifier qu'il existait un plan directeur préalablement établi que les architectes suivants se devaient d'observer. On ignore laquelle de ces théories est juste, mais la deuxième paraît la moins probable. L'hypothèse d'un plan directeur pourrait néanmoins trouver sa justification dans la forme de quatre petites pyramides à degrés situées à plusieurs centaines de kilomètres au sud, dans la région de Thèbes. On ne possède aucune certitude sur l'histoire de ces petites pyramides. L'une d'entre elles, El-Kôlah, fut explorée en 1949 et l'on trouva alors que cette pyramide était étrangement orientée. Contrairement à la plupart des pyramides, ce sont les angles qui sont orientés selon les quatre points cardinaux.

La pyramide d'El-Kôlah n'a que trois degrés et sa base est un carré d'environ vingt mètres de côté. On n'a pas trouvé la substructure de ces pyramides, à l'exception de celle de Négadah. La substructure de cette pyramide à quatre degrés consiste simplement en un puits très grossièrement creusé dans le roc et situé juste sous le centre de la pyramide. Etant donné qu'il n'y a aucune galerie, aucune ouverture vers l'extérieur, on a présumé que la tombe était ainsi conçue pour interdire tout accès après les funérailles. On pense que le puits fut d'abord creusé, puis le corps enterré, et enfin la totalité de la superstructure de la pyramide construite autour et sur la tombe. Lorsqu'on découvrit la substructure, elle ne contenait aucun corps, mais les égyptologues se cramponnèrent à leur théorie selon laquelle le puits a été conçu comme une tombe impénétrable !

Aujourd'hui, le mystère de ces quatre étranges pyramides à degrés reste entier. Est-il possible que ces pyramides aient servi de modèle à la construction de pyramides de la région de Memphis, située à quelques centaines de kilomètres au nord ? Ou ont-elles été simplement conçues par un groupe de renégats ou de bannis qui auraient émigré à proximité de Thèbes ?

Selon les archéologues, un important changement dans la conception des pyramides à degrés intervint vers la fin de la troisième et au début de la quatrième dynastie. Les degrés de la pyramide furent comblés, présentant quatre faces lisses et inclinées vers le sommet, formant ainsi ce qu'il est devenu classique d'appeler la *vraie* pyramide.

Grâce aux fouilles de la pyramide fort endommagée de Meïdoum, à 45 kilomètres au sud de Memphis, les égyptologues pensent avoir trouvé la raison de cette évolution de la pyramide à degrés vers la véritable pyramide. Dans son état actuel, cette pyramide ressemble plus à une haute tour rectangulaire qu'à une pyramide.

On pense que la pyramide de Meïdoum fut érigée d'après le schéma de la pyramide de Djeser. Cependant, elle semble avoir subi plusieurs transformations au cours de sa construction. Les égyptologues, après l'étude attentive de dessins sur le site, en sont venus à la conclusion que la pyramide fut successivement à deux, trois, puis quatre degrés. Les degrés étaient inclinés selon une pente de 75 degrés, et la pyramide définitive mesurait environ 142 m^2, mais sa hauteur demeure incertaine.

On avait apparemment prévu que la pyramide

aurait sept degrés, mais il est également possible qu'elle ait été conçue pour en comporter huit dans sa version définitive. Cependant, pour des raisons encore inconnues, les degrés furent remplis de pierre locale et la totalité de la structure fut recouverte d'un parement en calcaire de Tourâh ravalé. C'est ainsi que l'édifice se transforma en une pyramide géométrique.

Aujourd'hui visible, la superstructure laisse apparaître certaines parties des troisième et quatrième degrés de la pyramide qui en avait sept, et les cinquième et sixième degrés de celle qui en avait huit. De nombreuses parties de la dernière pyramide de Meïdoum sont encore intactes.

La face nord de la pyramide comportait une entrée donnant accès à un corridor qui, selon un plan incliné, menait, à travers le roc, jusqu'à une profondeur de 57 mètres, puis se relevait sur 10 mètres ; enfin, un puits vertical menait à la chambre funéraire. Lorsqu'en 1882, on pénétra pour la première fois dans la chambre, on ne trouva aucune trace de sarcophage. On pense qu'il a été dérobé. Les voleurs auraient creusé un trou dans le mur sud de la chambre.

La pyramide de Meïdoum comporte des bâtiments annexes situés dans un enclos. Ils comprennent une pyramide plus petite, un temple mortuaire et un troisième édifice. Tous ces bâtiments ont été réduits à un amas de pierres, et, contrairement à ce que les égyptologues espéraient, on ne peut pratiquement pas en tirer d'informations.

On n'a trouvé aucune inscription contemporaine qui aurait pu fournir des renseignements quelconques sur le constructeur ou sur le roi possesseur de la pyramide de Meïdoum. Cependant, une inscription sur les murs du temple funéraire fournit peut-être un indice : sous la dix-huitième dynastie, c'est-à-dire environ mille ans plus tard, elle était considérée comme l'œuvre de Sénéfrou. Les égyptologues ne peuvent affirmer sans risque d'erreur qui a construit la pyramide et pour qui. Ils ne peuvent que faire une estimation sur la date de construction et donc l'attribuer au pharaon qui régnait à l'époque. On a émis l'hypothèse qu'un pharaon a pu être à l'origine de plusieurs pyramides, mais les égyptologues s'opposent à cette interprétation qu'ils trouvent illogique. On a cependant découvert des inscriptions se référant à plusieurs pyramides de Sénéfrou. Il est fort probable que la pyramide de Meïdoum n'ait pas été la seule pyramide construite pour le roi Sénéfrou, mais que deux autres pyramides situées à Dahchour, à 40 kilomètres de Meïdoum, l'aient également été. L'une de ces pyramides est connue sous le nom de Pyramide Courbe.

La Pyramide Courbe, connue aussi sous le nom de Pyramide Fausse, Rhomboïde ou Obtuse, est située au sud de la deuxième du groupe et a été définitivement attribuée à Sénéfrou. Cette pyramide semble avoir été conçue pour être une véritable pyramide géométrique. Mais, pour quelque raison obscure, elle a été achevée dans une hâte si grande que les constructeurs, dans leur précipitation, se sont arrêtés avant d'avoir atteint la hauteur initialement prévue. On a pu faire cette déduction parce qu'environ à la moitié de la hauteur de la pyramide, l'angle d'inclinaison passe brusquement de 54 degrés 31 minutes à 43 degrés 21 minutes. On a remarqué par ailleurs qu'elle n'est pas exactement orientée selon les points cardinaux. La pyramide, dont la base est d'environ 185 mètres de côté, était conçue pour atteindre une

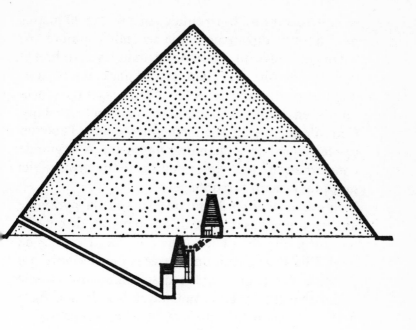

4. La Pyramide Courbe.

hauteur de 100 mètres environ. Extérieurement, c'est la mieux conservée de toutes celles qui subsistent. Intérieurement, c'est une pyramide tout à fait unique puisqu'elle possède deux entrées distinctes, l'une sur la face nord, l'autre sur la face ouest. Par l'entrée nord on accède, après un parcours de 72 mètres, à une antichambre-vestibule de 4,85 mètres de large et de plus de 12,45 mètres de haut. Immédiatement après cette antichambre, on trouve une seconde chambre d'environ 4,95 mètres sur 6,15 mètres, et dont la hauteur atteint approximativement 17,40 mètres. Située sur la face ouest, la deuxième entrée donne accès à un couloir descendant sur près de 64 mètres et se poursuivant à l'horizontale sur près de 20 mètres pour aboutir directement à la seconde chambre.

On n'a trouvé que peu d'objets dans les chambres et dans les couloirs : quelques restes d'une chouette ainsi que plusieurs squelettes de chauves-souris, enveloppés ensemble et placés dans une boîte de bois. Cette dernière était elle-même placée dans l'une des cavités du sol de la chambre supérieure. A la grande consternation des explorateurs, on ne trouva, ici non plus, aucun sarcophage.

Située à plus de 36 mètres au sud, la pyramide annexe a une base carrée de 54,30 mètres de côté et, terminée, elle devait mesurer plus de 31 mètres de haut. Elle a également une entrée sur la face nord qui donne accès à une galerie descendant jusqu'à une petite chapelle avec un puits au milieu du sol. Juste derrière la chapelle se trouve une chambre carrée de près de 2,4 mètres de côté.

De telles pyramides annexes sont fréquentes dans les complexes pyramidaux. Deux explications sont généralement avancées : elles auraient pu être soit destinées aux reines, soit utilisées comme pyramide funéraire pour les entrailles des rois.

La pyramide de Meïdoum fournit le plan général de tous les complexes pyramidaux successifs. Comme ceux qui le suivirent, le complexe comporte une pyramide principale, une chapelle, une pyramide plus petite et un temple funéraire. L'ensemble était ceint d'un mur. Une chaussée reliait l'entrée du temple funéraire à un temple de vallée, situé sur la rive du Nil. Ce temple de vallée était érigé dans l'unique but de recevoir le corps du pharaon mort qui était amené par bateau. Si la rivière était en crue, le bateau pouvait directement s'arrimer au temple. Cependant, on avait également creusé un canal qui reliait la rivière à la porte du temple pour que, même en saison sèche, le bateau pût atteindre ses amarres, même si la rivière n'arrivait pas jusqu'à l'entrée du temple.

Au nord de la Pyramide Rhomboïdale, on trouve une pyramide connue sous le nom de Pyramide Nord de Dahchour. Cette pyramide a presque le même angle de pente que celui de la partie supérieure de la Pyramide Rhomboïdale, 43 degrés et 36 minutes, et sa base carrée est de 215 mètres. L'entrée nord mène,

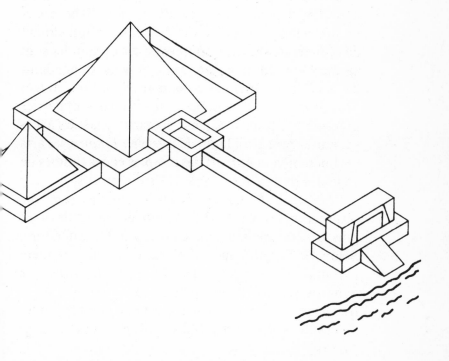

5. *Complexe pyramidal typique.*

par un corridor, à deux chambres jumelles et à une chambre principale dont la hauteur est supérieure à 15 mètres. On ne connaît pas avec certitude le propriétaire de cette pyramide, mais on l'attribue souvent à Sénéfrou. Ce qui voudrait dire qu'il avait peut-être le choix entre trois pyramides pour sa sépulture.

Après que l'art de construire de majestueuses pyramides eut atteint son apogée avec Guizèh (dont il sera question au chapitre 5), on assista au déclin constant de la construction des pyramides. Les nombreuses pyramides des cinquième et sixième dynasties étaient moins grandes, moins élaborées et moins belles. Les matériaux de construction étaient de si piètre qualité que nombre de ces pyramides sont aujourd'hui réduites à un tas de gravats. Cependant, les arts des cinquième et sixième dynasties étaient beaucoup plus développés que ceux des dynasties précédentes. Mais lorsque la sixième dynastie s'acheva, annonçant ainsi la fin de l'*Ancien Empire*, les arts déclinèrent et la plupart des temples et des tombes de l'âge des pyramides furent pillés et détruits.

Lors de la douzième dynastie, on assiste à une résurgence des pyramides. A cette époque, elles sont plus ornées, mais à nouveau de qualité inférieure. Selon les égyptologues, il n'y a, depuis la première pyramide à degrés construite sous la troisième dynastie jusqu'à la dernière grande pyramide de la treizième dynastie, qu'une trentaine de pyramides dignes de ce nom (voir la liste des pyramides, pages 74-75).

Pour la plupart des spécialistes, l'édification des pyramides n'avait qu'un seul but : enterrer les corps des pharaons dans des sarcophages. Dès lors, l'absence de momies dans ces pyramides demeure un phénomène inexplicable. L'usage de sarcophages scellés et de nombreux tunnels et passages destinés à «mettre les tombes à l'abri du pillage» devient évidemment assez incompréhensible lorsque l'on s'aperçoit, en ouvrant la chambre funéraire pour la première fois depuis son scellage, qu'il n'y a aucun corps. Dans certains cas, des trous étaient ménagés sur les côtés de la chambre funéraire. Ces trous seraient l'œuvre de pillards. Mais si cette hypothèse est juste, les voleurs ont fait preuve d'une grande habileté dans le creusement des tunnels. Ils devaient par ailleurs posséder un plan des chambres situées à l'intérieur de la pyramide, ainsi qu'un insatiable désir d'atteindre les bijoux précieux et les objets enterrés avec le corps.

Sur cette question, on distingue généralement trois écoles de pensée. Selon la première, les voleurs auraient emporté le corps pour souiller la mémoire du pharaon défunt.

La seconde école croit que ces chambres funéraires sont en fait de fausses pièces et que le tombeau véritable reste encore à découvrir dans chaque pyramide. Cette explication est plus raisonnable, car il est évident que même les immenses pyramides restaient vulnérables aux voleurs. Il est possible que les constructeurs aient été assez rusés pour équiper les pièces de sarcophages scellés et de quelques bijoux pour laisser croire aux voleurs éventuels qu'il s'agissait vraiment des chambres principales. Cela expliquerait l'apparence de ce que les archéologues modernes supposent être les chambres funéraires. Situées près de l'entrée principale, ces pièces vides sont dépourvues de tout, à l'exception de sarcophages qui sont scellés, mais vides. Les pharaons devraient être extrêmement conscients de l'habileté et de la détermination des criminels de leur époque et, dans leur effort, apparemment couronné de succès, pour confondre les voleurs, ils ont accidentellement créé un mystère qui se prolonge encore de nos jours.

Le troisième groupe de savants pense que les pyramides, et plus particulièrement la Grande Pyramide de Guizèh (voir chapitres 6 et 7), n'avaient pas vocation de caveau funéraire, mais de temple d'initiation. Ces savants n'ont guère de théorie à l'égard des sarcophages qui ont été trouvés scellés mais vides.

Comme on a pu le constater, les mystères des pyramides sont multiples — et même les spécialistes ne peuvent s'accorder sur le véritable but de l'édification des pyramides, sur les méthodes de construction utilisées pour ces structures monumentales et, évidemment, sur l'absence de momies dans les sarcophages scellés.

Principales pyramides d'Egypte [1]

Dynastie	Pharaon	Dimension de la base	Situation
3e	Djeser	123,30 m sur 107,40 m	Sakkarâh
3e	Sekhemkhet	118,50 m	Sakkarâh
3e	Khaba	82,80 m	Zaoul-el-Aryan
4e	Sénéfrou	142 m	Meïdoum
4e	Sénéfrou (pyramide rhomboïdale)	186 m	Dahchour
4e	Sénéfrou	215,75 m	Dahchour
4e	Chéops	230 m	Guizèh

1. Selon I.E.S. Edwards, dans *Les Pyramides d'Egypte*.

4e	Djedefre	96 m	Abou Roche
4e	Chéfren	212,40 m	Guizèh
4e	Mycerinus	106,80 m	Guizèh
5e	Ouserkaf	74,20 m	Sakkarâh
5e	Sahouré	77,20 m	Abou Sir
5e	Neferirkarê	108 m	Abou Sir
5e	Niouserrê	82,25 m	Abou Sir
5e	Isesi	79,50	Sakkarâh
5e	Ounas	66 m	Sakkarâh
6e	Téti	63 m	Sakkarâh
6e	Pepi I	75 m	Sakkarâh
6e	Merenre	80 m	Sakkarâh
6e	Pepi II	76,50 m	Sakkarâh
8e	Ibi	30,60 m	Sakkarâh
11e	Nebhepetre Montouhotep	21 m	Deir el-Bahari
12e	Amenemhatl	88,80 m	Licht
12e	Sésostris J	104,20 m	Licht
12e	Amenemhat I/	80 m	Dahchour
12e	Sésostris II	104,20 m	Illahoun
12e	Sésostris III	105 m	Dahchour
12e	Amenemhat III	102,60 m	Dahchour
12e	Amenemhat III	100,20 m	Haoura
13e	Khendjer	51 m	Sakkarâh

5

Les extraordinaires pyramides de Guizèh

La Pyramide de Guizèh est la seule des sept merveilles du monde qui existe encore aujourd'hui. Tout comme les autres pyramides d'Egypte (dont il a été question au chapitre précédent), la Grande Pyramide continue de confondre les égyptologues qui sont bien embarrassés lorsqu'il s'agit d'expliquer le but et la méthode de cette construction.

Cette merveille s'élève non loin de la ville moderne du Caire — à une distance qui peut être rapidement parcourue à dos de chameau —, et constitue l'élément principal d'un complexe composé de trois magnifiques pyramides, d'un sphinx colossal, de plusieurs pyramides secondaires et de quelques tombes.

La plus grande de ces pyramides est généralement

désignée comme la Grande Pyramide, ou Pyramide de Chéops — Chéops étant le nom grec de Khoufou —, nom du Pharaon fils et successeur de Sénéfrou. La Grande Pyramide marque l'apogée de la construction des pyramides, tant par sa taille que par sa qualité. On a maintes fois essayé de donner une idée de sa taille en la comparant à d'autres édifices célèbres. Ce bâtiment devait avoir une hauteur initiale de 146,59 mètres ; l'érosion l'a réduite, à travers les siècles, à une hauteur de 137 mètres. Elle couvre une superficie de 53 000 mètres carrés.

Selon I.E.S. Edwards, pour la face Est, la base est de 230,391 mètres ; pour la face Ouest, de

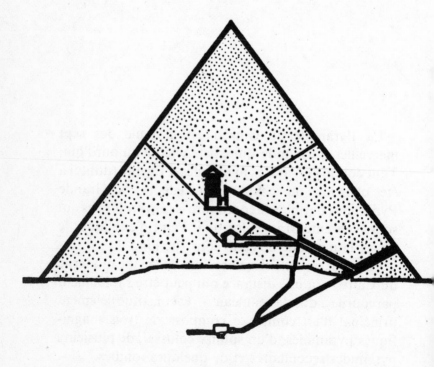

6. Plan de la Grande Pyramide.

230,357 mètres ; pour la face Nord, de 230,253 mètres ; pour la face Sud, de 230,454 mètres. Bien qu'aucun côté ne soit identique à l'autre, la différence entre le plus long et le plus court n'est que de vingt centimètres. Ses quatre faces triangulaires ont une inclinaison de 51 degrés et 52 minutes environ. Son orientation géographique est nord-sud.

Mais l'un des mystères de la Grande Pyramide réside dans la variété des résultats obtenus lors des nombreux relevés d'archéologues et d'explorateurs : les mesures sont toutes différentes les unes des autres. La hauteur est pour l'un de 144,20 mètres, et pour l'autre de 149,70 mètres. Certains disent que la base est un carré de 226,80 mètres de côté, d'autres avancent le chiffre de 207,90 mètres et affirment aussi que l'inclinaison des faces triangulaires est de 51 degrés 19 minutes 14 secondes. A l'heure actuelle, son orientation marque les déviations suivantes par rapport à l'axe nord-sud géographique : côté nord : 2'28" sud-ouest ; côté sud : 1'57" sud-ouest ; côté est : 5'30" nord-ouest ; côté ouest : 2'30" nord-ouest. La précision de cette orientation implique que les quatre angles de la base soient presque parfaitement droits puisque leurs mesures exactes donnent : nord-ouest 89°59'58" ; nord-est 90°3'2" ; sud-ouest 90°0'33", sud-est 89°56'27".

Le mystère de l'orientation de la Grande Pyramide de Guizèh demeure inexpliqué. Selon la théorie la plus récente, il ne s'agirait pas d'une erreur du constructeur, mais d'un décalage dû à la dérive des continents. L'article de C.S. Pawley et de N. Abrahamsen soutient, comme on le verra ci-dessous, cette thèse.

LES PYRAMIDES INDIQUENT-ELLES UNE DÉRIVE DES CONTINENTS ?

Le mystère de l'orientation de la Grande Pyramide de Guizèh est resté fort longtemps inexpliqué. L'alignement général est de quatre minutes nord-ouest. On l'explique non par une erreur de construction, mais par le mouvement qui s'est produit au cours des siècles. Les théories actuelles sur la dérive des continents ne prévoient pas des mouvements d'une telle ampleur. Néanmoins, la dérive des continents semble l'explication la plus vraisemblable, même si elle demeure peu plausible. En effet, nous ne disposons de mesures correctes que depuis cinquante ans, alors que les mesures géophysiques du développement des fonds sous-marins se réfèrent à une échelle de millions d'années.

Guizèh est situé à environ 30°E, 30°N ; nous pouvons donc dire que le pôle d'il y a quatre mille cinq cents ans (vu du centre de la terre) est aujourd'hui à 3,5' ± 0,9' sur une longitude de 60°O en direction du Groenland, et avec une composante inconnue sur une longitude de 30°E. A l'époque de la construction, l'étoile polaire aurait été Véga. Etant à une élévation de 30°, Véga serait idéale pour l'alignement. Cependant, il serait bon de mener une expérience sur le site même afin de déterminer toutes les sources d'erreurs possibles.

Il est aujourd'hui bien établi que le mouvement du vrai pôle est de 0,0032" par an le long d'une longitude de 60° ouest [1]. En 4 500 ans, cela donnerait 0,24', ce

---

1. F. Petrie, *Wisdom of the Egyptians*, Quaritch, Londres, 1940.

qui est beaucoup trop peu. Certaines variations sont attribuées à la fonte des glaces du Groenland et de l'Antarctique. D'autres variations sont de nature oscillatoire et de très faible amplitude [1].

La dérive des continents peut entraîner la variation de la direction du vrai nord en fonction du bloc mouvant. Les Amériques se sont séparées de l'Afrique et de l'Europe à cause du flottement du sol marin. Ce mouvement, qui est d'environ 5 cm par an entre l'Amérique du Sud et l'Afrique, pivote autour d'un point situé au sud-ouest de l'Islande. Si cela n'entraîne que le déplacement de l'Afrique, et si la rotation est uniforme, les pyramides auraient eu, en 4 500 ans, une rotation de 0,1' dans le sens observé.

L'Afrique et la péninsule Arabe ont des mouvements séparés, comme si elles s'articulaient sur un point situé à l'extrémité nord de la mer Rouge. Cela indiquerait que la rotation des pyramides est dans le mauvais sens mais, là aussi, d'une amplitude bien trop faible. Ces deux mouvements sont indiqués sur la figure 8.

Une réorientation locale pourrait s'expliquer par les tremblements de terre. La Méditerranée et la mer Rouge sont en effet connues comme zones de tremblements de terre, mais seul un tremblement de terre d'une amplitude sans précédent aurait rendu possible le mouvement des pyramides. Il serait intéressant d'avoir sur ce point l'opinion d'un expert géologue. On pense que le tremblement de terre se serait produit en 908 avant J.-C.

La théorie de la dérive continentale s'appuie sur des mesures très récentes. Et, d'autre part, les thèses sur la

---

1. I.E.S. Edwards, *Les Pyramides d'Egypte*, Le livre de Poche, Paris, 1967.

continuité ou la discontinuité de la dérive suscitent une controverse. L'observation des pyramides peut apporter une contribution à ce débat, étant donné qu'elle se réfère à la géophysique.

Flinders Petrie [1] a été le premier à établir le relevé détaillé des pyramides de Guizèh [2], mais ses observations semblent avoir échappé aux scientifiques — à l'exception des archéologues. Il a conclu que la moyenne de quelque six alignements des pyramides de Chéops (Khoufou) [voir figure] et Khephren (Khafrah) était à 4' ouest du vrai nord, avec une erreur de 1'. Il en a conclu que le pôle terrestre s'est déplacé d'autant.

Petrie prétend que les faces est et ouest de chaque pyramide ont dû être mises en place séparément, parce que les pyramides étaient construites en étant centrées sur un point élevé de fondation. L'entrée de la pyramide de Chéops a la forme d'un puits avec deux élévations distinctes, chaque section nécessitant un alignement particulier. Constitués de rocs bien ajustés et bien conservés, les alignements sont encore très précis puisque l'erreur n'est que d'une minute. Cette estimation de Petrie correspond bien aux limites de l'acuité visuelle à l'œil nu dont les constructeurs durent faire usage.

Les faces nord et sud sont une autre preuve de la précision des constructeurs. Il n'y a pas de méthode astronomique directe qui permette d'obtenir l'alignement est-ouest. Il a donc fallu construire des angles droits — ce qui fut fait avec une précision d'environ 1,5'.

1. W. Markowitz et B. Guinot, Eds., *Continental Drift*, Reidel Dordrecht, Netherlands, 1968.
2. J. Coulomb et G. Jobert, *The Physical Constitution of the Earth*, Oliver and Boyd, Edimbourg, 1963.

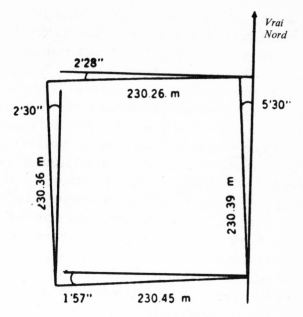

7. *La Pyramide de Chéops.*

8. *La dérive des continents.*

On a dû essayer d'avoir un alignement qui soit au vrai nord, car il est impossible de faire un alignement sur un point situé juste à côté du nord géographique. Si une étoile était placée si près du pôle, elle décrirait un petit cercle dans le ciel et, à cause de la précession des équinoxes, ce cercle changerait considérablement de taille en une génération. Toute idée d'alignement magnétique est à écarter, car lorsque le pôle magnétique est proche du vrai pôle, la variation magnétique est énorme — et ce, en une génération. De toute façon, on ne pense pas que les anciens Egyptiens connaissaient la magnétite qui n'aurait d'ailleurs pas permis d'obtenir une précision d'une minute. Petrie dit qu'il faudrait six mois d'observations pour dominer la parallaxe astronomique, mais il devrait être possible d'obtenir un alignement, avec la précision voulue, en une seule nuit.

Il n'y a, en Egypte, rien d'autre qui puisse confirmer ces résultats ; les autres pyramides sont plus petites et moins précises, et de nombreux autres bâtiments ont des alignements solaires ou stellaires. Les deux seules pyramides qui donnent ce résultat furent construites à l'apogée de l'ère des pyramides, et il n'est pas surprenant qu'elles seules présentent une telle précision.

La validité de cette thèse concernant les pyramides étant établie, nous pouvons nous demander si d'autres vestiges archéologiques sont susceptibles de fournir des informations complémentaires.

Sur les hauts plateaux du Pérou, on trouve des traces extrêmement précises mais encore inexpliquées. Elles sont l'œuvre du peuple Nasca, et courent un danger de destruction. Il faudrait également étudier les sites mégalithiques de Bretagne et de Grande-Bretagne, mais, avant de le faire, il faut être sûr qu'il s'agit bien d'observatoires solaires et lunaires [1]. Les pyramides constituent probablement le témoignage le plus précis, et il serait dommage que ce fait unique se perde dans la précipitation scientifique.

G.S. Pawley
Département de Physique,
Université d'Edimbourg, Ecosse.

N. Abrahamsen
Laboratoire de Géophysique,
Université d'Aarhus, Danemark.

Lorsqu'on la regarde de loin, la Grande Pyramide donne l'impression d'être à peu près intacte. Mais lorsqu'on s'en approche, on peut remarquer qu'elle a souffert de l'attaque des éléments naturels et des spoliateurs. Une douzaine d'assises environ, ainsi que le pyramidion qui était peut-être en granit, ont disparu du sommet. Tout le revêtement en calcaire de Tourâh a été arraché de ses faces triangulaires, à l'exception de quelques parcelles à la base. La face nord présente une large brèche qui entaille le noyau, juste au-dessous de l'entrée originelle. La tradition musulmane raconte que cette brèche fut ouverte vers la fin du IXe siècle car l'on croyait, à tort, que cette pyramide contenait des trésors cachés. Par la suite, la pyramide s'est avérée être une carrière fort pratique et abondante pour fournir les pierres nécessaires aux ponts,

---

1. A. Tom, *Megalithic Lunar Observations,* Oxford Univ. Press, New York, 1971.

murs, maisons et autres bâtiments de la région de Guizèh et du Caire.

La science moderne a révélé un autre mystère de la Grande Pyramide. Les archéologues ont été incapables de faire le compte exact des pierres taillées utilisées pour la construction. On a cependant estimé qu'au total, le noyau de pierre local et le revêtement extérieur en calcaire de Tourâh étaient composés de 2 300 000 blocs distincts, pesant de 2,5 tonnes à 15 tonnes. D'autres estimations font état de blocs de 2 à 70 tonnes chacun, avec un nombre total atteignant 2 500 000 blocs. On pense que le centre est constitué d'un nucléus de rochers dont la taille n'a pu encore être déterminée avec précision. Parmi celles qui ont fait l'objet de mesures et de relevés fréquents, aucune autre pyramide n'a donné de résultats aussi disparates que la pyramide de Chéops. Seule la perfection avec laquelle le granit de cette pyramide ainsi que les blocs de calcaire étaient joints (jusqu'à 1/30 de centimètre) est incontestée. Les joints n'ont jamais plus de 1/15 de centimètre de large.

Les archéologues étudient les galeries et les chambres de la Grande Pyramide en fonction de son développement structural. L'accès au noyau de la pyramide se fait par une entrée située exactement au milieu de la face nord, à 16,5 mètres au dessus du sol. A partir de l'entrée, une galerie d'un peu plus d'un mètre de large sur un mètre de haut descend, avec une pente de plus de 26 degrés, vers une chambre inachevée. Une fosse carrée est creusée dans le sol, et les murs de la chambre ressemblent à une carrière. Le mur sud comporte une ouverture inachevée vers une galerie en cul-de-sac. Lorsque Hérodote visita l'Egypte, vers le milieu du Ve siècle avant J.-C., on lui raconta que des caveaux avaient été construits sous la pyramide, sur une sorte d'île entourée par les eaux du Nil qui auraient été amenées jusque-là par un canal. On disait que le corps de Chéops reposait sur cette île. Cependant, on n'a jamais rien retrouvé et les archéologues doutent fort de l'existence de cette île. Une autre explication semble plus plausible : la galerie et la chambre auraient été laissées vides et inachevées à dessein, pour faire croire que nul pharaon n'était enterré dans la pyramide. Cette explication est en quelque sorte justifiée par la présence d'un autre puits conduisant à la descenderie, à quelque dix-huit mètres de l'entrée de la chambre inachevée. Ce puits aurait pu servir de deuxième labyrinthe pour continuer à semer la confusion dans l'esprit des éventuels pillards. Il est cependant généralement admis que ce puits avait une fonction de ventilation pour les travailleurs qui construisaient la chambre inachevée.

Dans la descenderie, à 18 mètres de l'entrée, se trouve l'accès à la galerie montante qui correspond, en largeur et en hauteur, à la descenderie. La galerie montante mesure environ 38,70 mètres de long et sa pente correspond, à une fraction de degré près, à celle de la descenderie. A la jonction de la galerie montante et de la descenderie, trois grands blocs de granit placés l'un derrière l'autre bouchent l'accès à la galerie montante à partir de la descenderie. Il y a peut-être de nombreux bouchons de calcaire derrière ces trois bouchons de granit. Les historiens arabes rapportent qu'au IXe siècle après J.-C., sous le règne du Khalife Mamoun, fils du célèbre Haroun Al Rachid des *Mille et une Nuits*, les hommes chargés de creuser un tunnel ont dû changer la direction de leurs travaux lorsqu'un bloc de calcaire s'est effondré. Il était fait de telle manière qu'il était impossible de le distinguer du reste du toit près de l'extrémité supérieure de la descenderie. Pendant le creusement de ce nouveau tunnel, les hommes se sont trouvés face à trois bouchons de granit de 1,80 mètre, derrière lesquels il y avait un passage obstrué par plusieurs blocs de calcaire. Ces bouchons ont ceci de particulier qu'ils seraient aussi bien ajustés à la profondeur de la partie supérieure du passage qu'ils le sont à celle de la partie inférieure.

La fabrication et la mise en place de ces blocs de granit constituent encore un mystère, tant l'habileté technique et l'adresse nécessaires à leur manipulation devaient être considérables. Plus mystérieux encore, ces blocs étaient amassés avant l'enterrement du pharaon ; comment était-il possible alors d'enterrer le corps avec les bouchons obstruant l'accès à la chambre funéraire ? On a avancé de nombreuses théories pour expliquer ces mystères, mais elles sont toutes beaucoup trop invraisemblables pour qu'on puisse leur accorder quelque crédit.

Une chambre, appelée par les Arabes "Chambre de la Reine", a été construite à l'extrémité du passage issu du couloir montant. Son emplacement a été calculé pour se trouver exactement à mi-chemin des faces nord et sud, et juste sous le pyramidion. Dans cette Chambre de la Reine, on trouve des signes d'un travail abandonné avant terme. Elle mesure plus de 5,15 mètres sur 5,65, avec un plafond en pointe qui s'élève à plus de 6,75 mètres. Le mur est comporte une niche de 1 mètre de profondeur, 4,60 mètres de haut et 1,55 mètre de large — niche probablement destinée à recevoir une statue qui n'a peut-être jamais été mise en place. La Chambre de la Reine possède deux puits terminés en cul-de-sac, l'un au mur nord et l'autre au mur sud. De nombreux chercheurs pensent que ces puits servaient autrefois de conduits d'aération, comme celui de la chambre inachevée, mais qu'ils faisaient plus probablement partie du système de labyrinthes utilisé pour empêcher les spoliateurs de parvenir à la Chambre du Roi. Selon une troisième théorie, ces puits auraient été utilisés pour faire des relevés lors de la construction de la pyramide et des chambres.

Au bout de 38,7 mètres, le couloir ascendant continue et devient la fameuse "Grande Galerie". Elle a plus de 30 mètres de long et près de 9 mètres de haut. Les deux murs sont en calcaire poli et atteignent 2,25 mètres. Au pied de chaque mur, une banquette, de 60 centimètres de haut et de 50 centimètres de large, court tout le long de la Galerie, avec un espace de 1,04 mètre entre les banquettes. La Galerie a été construite avec une pente de 26 degrés et fut conçue de manière à ce que l'on ait une pression cumulative tout le long du plafond, de telle sorte que chaque pierre soit soutenue séparément par le mur latéral. A l'extrémité inférieure de la Grande Galerie, les pierres qui reliaient auparavant le sol du passage à la galerie ascendante ont été enlevées. Elles couvraient également la bouche du passage horizontal qui mène à la Chambre de la Reine. Cette brèche a révélé un conduit qui descend à travers le mur occidental de la descenderie.

Située à l'extrémité supérieure de la Grande Galerie, une pierre placée à près d'un mètre du sol donne accès à un passage bas et étroit — moins de 1,2 mètre de large sur 1,2 mètre de haut — menant à la Chambre du Roi. A environ un tiers de sa longueur, ce passage en calcaire poli s'élargit pour former une sorte d'antichambre en granit rouge poli. Puis le passage, avec sa largeur initiale, continue pour déboucher sur la Chambre du Roi.

La Chambre du Roi est entièrement construite en granit rose poli et mesure un peu plus de 5,15 mètres de large, 10,30 mètres de long et 5,80 mètres de haut. Dans les murs nord et sud, on trouve des conduits similaires à ceux de la Chambre de la Reine et de la Chambre inachevée. Il semble que ces conduits aient traversé le noyau de la pyramide et atteint la surface externe. Près du mur occidental se trouve un sarcophage rectangulaire en granit rose et sans couvercle. Les égyptologues affirment avec insistance que ce sarcophage contient le corps du roi qui était probablement enfermé dans un cercueil de bois. Le mystère de ce sarcophage est que sa taille dépasse de 2,5 centimètres la largeur de la galerie ascendante. Etant donné qu'il n'a pu être apporté par ce corridor, les archéologues en concluent qu'il a dû être mis en place lors de la construction de la chambre.

Il n'existe aucune construction architecturale comparable au toit et au plafond plat de la Chambre du Roi. Son plafond plat, composé de neuf dalles de calcaire, pèse environ 400 tonnes. Trois autres plafonds d'une construction très précise sont séparés par des compartiments ; le cinquième et dernier plafond est en pointe. On pense que le but de cette construction particulière était d'éliminer tout risque d'effondrement du plafond de cette chambre — effondrement qui aurait pu être causé par le poids de la superstructure adjacente ou par les forces naturelles. Leur construction s'est avérée justifiée, car toutes les dalles de granit qui composent le plafond, et même celles des compartiments de décharges, sont fendues, probablement à la suite de tremblements de terre ; et, cependant, aucune ne s'est écroulée.

La Grande Pyramide fut pour la première fois violée par des pillards au début de la Première Période Intermédiaire, probablement au cours de la septième dynastie. Il semble qu'il y ait eu plusieurs autres violations et que, chaque fois, la Grande Pyramide ait été rénovée et son entrée dissimulée. Ces "mesures de sécurité" ont causé bien des difficultés aux archéologues lorsqu'ils ont voulu entrer dans la pyramide.

La seconde pyramide de Guizèh est celle du roi Khephren (connu des Egyptiens sous le nom de Khaef-Rê). La pyramide de Khephren semble en fait plus grande que la Grande Pyramide, tout simplement parce qu'elle est située sur un terrain plus élevé. Au moment de sa construction, sa base carrée atteignait près de 215 mètres de côté, et sa hauteur était de 144 mètres environ. Aujourd'hui, elle a un peu plus de 207 mètres de côté et sa hauteur ne dépasse pas 135 mètres. Cette illusion d'une taille supérieure provient — et bien que la base de la pyramide de Khephren soit plus petite que celle de la pyramide de Chéops — du fait que ses faces ont une pente plus forte — 52 degrés 20 minutes —, ce qui lui permet d'atteindre une hauteur inférieure de moins de trois mètres à celle de la Grande Pyramide.

L'extérieur de la pyramide de Khephren est assez unique, et ce pour deux raisons : elle est recouverte d'un parement composé de deux sortes de pierres, et la plus grande partie de ce parement est encore intacte. Près du sommet, le revêtement extérieur est en calcaire de Tourâh, alors que le parement de la base est en granit rouge.

Il est surprenant de constater que la substructure possède deux entrées sur la face nord de la pyramide. Les deux galeries qui partent de ces entrées descendent avec une pente presque identique. La galerie supérieure, au revêtement de granit rouge, devient horizontale et mène à une chambre de 14 mètres de long, de 5 mètres de large et de 6,75 mètres de haut. Il est intéressant de remarquer que la chambre suit, par son petit côté, un axe nord-sud. La totalité de la chambre, à l'exception du plafond, a été taillée à même le roc sous la pyramide. Le plafond est flanqué de pignons en dalles de calcaire placées selon le même angle que les faces de la pyramide. On aperçoit les signes d'une tentative d'installation de conduits d'aération analogues à ceux de la pyramide de Chéops, mais ils n'ont jamais été réalisés. Du côté ouest de la chambre, un magnifique sarcophage rectangulaire en granit poli a été enfoncé dans le sol jusqu'au couvercle. Lors de la première visite archéologique, en 1818, on a découvert le couvercle démonté et cassé en deux. Et, bien sûr, aucune momie n'a été retrouvée.

La galerie supérieure, tout comme la galerie inférieure, suit l'horizontale après une pente, puis elle remonte pour accéder à la chambre supérieure. La partie horizontale de la galerie inférieure comporte, sur le côté ouest, une rampe d'accès qui mène à une chambre mesurant 10,95 mètres de long, 3,10 mètres de large et 2,55 mètres de haut. On pense que cette chambre était à l'origine une tombe et que, pour une raison inconnue, elle a été agrandie sans recevoir le sarcophage.

La troisième pyramide du groupe est attribuée à Mykérinos. Il n'y a cependant aucun document valable qui puisse éclairer la vie et la personnalité de Mykérinos. Dans ce complexe de Mykérinos, seule la pyramide a été presque achevée; les bâtiments annexes sont restés à un stade plus ou moins avancé des travaux. La Pyramide de Mykérinos couvre moins du quart de la surface occupée par la Pyramide de Chéops. Elle avait à l'origine une hauteur de 68 mètres; aujourd'hui, elle ne mesure plus que 62 mètres.

Comme la pyramide de Khephren, celle de Mykérinos est revêtue, dans sa partie supérieure, de calcaire de Tourâh, et de granit rouge dans sa partie inférieure. L'intérieur de la pyramide n'est pas extraordinaire et présente quelque ressemblance avec celui de la Grande Pyramide. Subsistent des vestiges d'une galerie qui devait être, à l'origine, l'entrée principale de la pyramide et qui n'a jamais été achevée. A la place, on a construit une deuxième galerie en contrebas. Il est possible que cette galerie sans issue ait été conçue pour mener à une autre chambre, dont la construction ne fut même pas commencée à cause de la mort prématurée de Mykérinos.

La galerie d'entrée mène à une antichambre, puis se prolonge en une grande pièce rectangulaire dont le plus grand axe est orienté est-ouest. A l'extrémité de cette pièce se trouve ce que l'on pense être la chambre funéraire. Elle est entièrement construite en granit — murs, sol et toit pointu. La partie inférieure du toit a été arrondie pour donner un effet de voûte surbaissée.

Le colonel britannique Howard Vyse fut le premier à ouvrir la pyramide de Mykérinos au cours des fouilles qu'il effectua en 1837 et 1838. Il y trouva un sarcophage rectangulaire en basalte, gravé et décoré. Il y trouva également des ossements humains et le couvercle d'un cercueil en bois portant l'inscription du nom de Mykérinos. Le colonel Vyse décida d'envoyer en Angleterre, par bateau, ce sarcophage qui n'avait probablement jamais été ouvert. Malheureusement, le bateau fit naufrage au large des côtes espagnoles, et le sarcophage avec. Ce naufrage a donné naissance à l'histoire d'une soi-disant malédiction de la Momie, dont la presse tire périodiquement une histoire à sensation. Aucun document connu ne permet d'établir si ce sarcophage était vide ou non. Il a été difficile d'identifier les propriétaires de nombreuses pyramides secondaires et des toutes petites pyramides faisant partie de chacun des trois complexes de pyramides. On pense que les constructeurs sont les mêmes que ceux des pyramides principales. La difficulté réside dans le fait qu'après la construction des complexes pyramidaux, de nombreux nobles, et même d'autres personnes d'un rang moins élevé, se sont fait enterrer dans des petites pyramides, à l'intérieur ou à proximité du complexe. Ils voulaient bénéficier d'une tombe près de leur idole pour pouvoir tirer le même profit de leur vie posthume et vivre avec leur pharaon.

On pense que c'est à l'époque de Khephren que le Sphinx fut taillé dans un bloc monolithe laissé en surplus par les constructeurs de la Grande Pyramide. Le Sphinx est, commes les autorités en la matière s'accordent à le dire, un lion couché à tête humaine. Il était probablement, lorsqu'il fut terminé, recouvert de plâtre et peint aux couleurs royales. Les emblèmes royaux sont bien caractérisés par la barbe au menton, le cobra sur le front et la coiffure. La largeur du visage

9. Esquisse du complexe de Guizèh.
Au premier plan, le sphinx.

atteint près de 4,20 mètres, le corps colossal a plus de 20 mètres de haut et plus de 72 mètres de long. On estime son poids à des centaines, voire des milliers de tonnes.

Bien qu'elle soit aujourd'hui très délabrée, on pense pouvoir dire de la tête du Sphinx qu'il s'agit de Khephren, ou qu'elle fut peut-être remodelée sous son règne de manière à lui ressembler. Une pierre de granit rouge perchée entre les pattes du Sphinx porte une inscription qui relate le rêve de Thoutmosis IV, de la dix-huitième dynastie. L'histoire de la pierre a été déchiffrée : elle explique qu'un jour, alors que Thoutmosis n'était encore qu'un prince, il décida de se reposer au cours d'une partie de chasse. Il s'endormit à l'ombre du Sphinx et eut un rêve dans lequel le Sphinx, considéré à l'époque comme le dieu Soleil Harmachis, lui promit que, s'il faisait déblayer le sable qui le couvrait et lui restituait sa beauté majestueuse, il obtiendrait la double couronne d'Egypte en récompense. Le reste de l'inscription est trop endommagée pour que l'on puisse savoir comment la promesse fut accomplie.

Dans la mythologie égyptienne, le lion est toujours considéré comme gardien des lieux sacrés. Ce mythe doit remonter à l'époque où les prêtres d'Héliopolis ont introduit le lion dans leur culte des morts. Le lion, symbolisé par le Sphinx, faisait fonction de sentinelle, et ses caractéristiques humaines correspondaient à l'ancienne divinité solaire Atoum. En faisant retailler le visage du Sphinx pour qu'il ressemblât à celui de Khephren, le pharaon devait vouloir s'identifier au dieu Soleil en position de sentinelle près des pyramides de Guizèh.

Certains experts pensent qu'il doit y avoir des

tunnels ou galeries auxquels on accède par une entrée cachée située sous le Sphinx, et qui relient les trois pyramides principales à leurs chambres funéraires secrètes. On n'a cependant trouvé aucun passage de ce genre, et l'on s'accorde généralement à dire qu'ils n'existent pas.

Pyramides colossales, momies absentes, bijoux et meubles en petite quantité, que les pilleurs de tombes ont délaissés parce que sans valeur, pyramidions manquants, sarcophages vides, prouesses techniques inexplicables : telles sont quelques-unes des énigmes de ce qui constitue peut-être le mystère le plus troublant de tous les temps.

6

Des fondations au Pyramidion : comment et pourquoi les pyramides ont-elles été construites ?

Les documents existants ne jettent que peu de lumière sur les vies et sur les us et coutumes des pharaons de l'Ancien Empire. Et l'on ne sait pratiquement rien de la méthode de construction des pyramides et des bâtiments annexes que l'on trouve dans chaque complexe de pyramides de l'époque. Les égyptologues ne peuvent se livrer qu'à de savantes suppositions sur les méthodes de construction utilisées par les bâtisseurs de pyramides. Après avoir procédé à une observation attentive de chaque bâtiment, présumé de la praticabilité et pris en compte la connaissance actuelle de la maçonnerie, les archéologues en sont venus à développer des théories sur la pyramide et sur la construction monumentale en général. Malheureusement, on accepte aujourd'hui ces théories comme un fait établi alors qu'il n'existe aucune preuve irréfutable permettant d'affirmer qu'une seule de ces structures monumentales érigées dans l'Ancien Empire ou auparavant, ait été construites de la manière décrite par les égyptologues.

La plupart des pyramides furent construites sur la rive ouest du Nil, sur un terrain élevé pour empêcher que le complexe ne fût inondé lors des crues du Nil, mais à une distance assez courte pour permettre aux ouvriers d'avoir accès au fleuve sur lequel étaient transportées les pierres en provenance des carrières. Aujourd'hui, les inondations du Nil mettent les pyramides de Dahchour à environ 1,5 kilomètre de la rivière, alors que les pyramides de Guizèh ne sont qu'à 375 mètres, et la pyramide de Meïdoum à quelques pâtés de maisons du bord de la rivière.

Le choix de la rive ouest s'appuie sur une autre raison tout aussi évidente : le sous-sol devait être uniformément solide et sans faille, faute de quoi le complexe tout entier se serait écroulé, peut-être même en cours de construction. Les Egyptiens ont dû être les meilleurs géologues du monde, bien meilleurs que les géologues actuels, puisqu'ils ont été capables de déterminer que la rive ouest du Nil était le site qui convenait au complexe de pyramides. Il leur a fallu de grandes connaissances techniques et un savoir fantastiquement pluridisciplinaire dans tous les domaines liés au relevé géologique.

Les égyptologues pensent que les anciens Egyptiens ont construit les complexes de pyramides sur la rive ouest du Nil parce qu'ils voulaient être le plus près possible du soleil couchant. Etant donné que le coucher de soleil symbolise la mort, ce raisonnement nous semble un peu forcé : si le site des pyramides avait été choisi en fonction d'une signification symbolique, il eût été plus logique de les construire sur la rive est (qui symbolise la naissance) ; les pharaons auraient été ainsi plus proches de la renaissance, et plus près de la naissance ou de la renaissance de leurs dieux.

Nous pouvons seulement en conclure que les Egyptiens ont choisi les sites des pyramides non pour des raisons symboliques, mais pour des raisons pratiques.

Après avoir déterminé le site de constructions, les bâtisseurs devaient déblayer des centaines, sinon des milliers d'hectares de sable et de pierres de la surface qui recouvrait l'assise rocheuse solide. La fondation elle-même devait être nivelée et aplanie. Le nivellement fut si précis que le niveau de la Grande Pyramide ne varie que d'un centimètre environ par rapport au plan parfaitement horizontal. Sur une distance de 230 mètres, un centimètre et quelque d'écart est, pour tout calcul, négligeable. Cela indique donc une erreur d'environ 0,007 pour cent, ce qui concurrence les imprécisions existant dans la plupart des édifices construits aujourd'hui.

On pense que le terrain fut déblayé à la main par des centaines de milliers de personnes et que le nivellement fut accompli à l'aide de tranchées creusées dans l'assise rocheuse naturelle, tranchées qui étaient ensuite remplies d'eau puis obstruées. On travaillait alors la fondation jusqu'à ce qu'elle soit au niveau de l'eau. Les tranchées étaient alors vidées, puis comblées de pierres.

L'étape suivante consistait à faire un relevé de l'endroit pour s'assurer que la base serait un carré parfait, et que chaque face serait alignée avec un point cardinal. Pour aligner la construction sur un axe nord-sud ou est-ouest, il suffit en fait de situer un seul des côtés ; les trois autres sont alors automatiquement bien placés. Plusieurs aspects de cet alignement ne peuvent être que supposés puisqu'il ne reste aucune preuve des instruments utilisés à cet effet. Il semble que même la boussole ait été inconnue à l'époque.

Le savoir des Egyptiens dans le domaine de l'astrologie dépassait également les limites de la science de l'époque. Les astronomes contemporains ont, par conséquent, bien du mal à expliquer comment les Egyptiens en sont arrivés à certaines de leurs interprétations astronomiques. On peut seulement supposer que l'équerre et le fil à plomb existaient. Ces deux instruments sont indispensables pour obtenir des angles droits et élever un mur à angle droit ou avec l'angle requis par la pente.

Les travailleurs des carrières de Tourâh, situées sur la rive Est du Nil dans les collines de Mouqattam, extrayaient les blocs de calcaire nécessaires à la construction des pyramides pendant que l'on préparait le site lui-même. Plus haut dans la vallée du Nil, près d'Assouan, on extrayait les blocs de granit nécessaires à l'édifice. La méthode d'extraction de ces gigantesques blocs de pierre ne peut être connue que par déduction, à partir des outils découverts par les archéologues. Les carriers creusaient, taillaient, fendaient et cassaient, puis ils raclaient, polissaient et finissaient ces monolithes jusqu'à l'obtention de cubes presque parfaits. Ce travail était exécuté avec des outils de cuivre qui, pour avoir la robustesse nécessaire à la taille des pierres, étaient recuits par des forgerons d'une grande dextérité. Cependant, aucun de ces outils recuits n'a été retrouvé, et il semble impossible à tout forgeron d'aiguiser et de recuire le cuivre au point qu'il puisse tailler la pierre.

C'est encore plus difficile à croire lorsque l'on sait que les gens ont aujourd'hui beaucoup de mal à maintenir aiguisée la coutellerie la plus raffinée et la plus chère, alors qu'elle n'est utilisée que pour couper de la viande, des aliments et des tissus. Pour le forage des puits de pétrole, même les alliages d'une extrême résistance et de la plus haute qualité n'offrent qu'une longévité limitée.

Le second exploit consistait, après avoir extrait les blocs, à les transporter jusqu'au site de construction. Les carriers de l'un des sites devaient, en fait, transporter des blocs à contre-courant, tandis que les autres bénéficiaient plus simplement du sens du courant. Selon les experts, ces transports ne s'effectuaient qu'en période de crues du Nil, parce que les convoyeurs avaient ainsi la possibilité optimale d'arriver près du site de construction. Cependant, cela a dû entraîner un problème supplémentaire pour les convoyeurs puisque, quand une rivière est en crue, le courant a une telle force qu'il rend la navigation pratiquement impossible.

Les convoyeurs ont eu également à résoudre un problème de taille : celui de la conception de bateaux ou de péniches capables de supporter des poids aussi considérables. Les blocs de pierre taillée pesaient en moyenne 2,5 tonnes et certains bâtiments annexes exigeaient l'emploi de blocs de plus de 200 tonnes. Les péniches devaient donc être extrêmement grandes. Or, aucune de ces péniches, aucun vestige n'a jamais été retrouvé, et il n'en est fait mention nulle part.

Comment les convoyeurs résolvaient-ils le problème de chargement et de déchargement? Il fallait un équipement extraordinaire pour soulever un monolithe de 200 tonnes et pour l'équilibrer afin qu'il ne fasse pas chavirer le bateau. De plus, pendant la saison des crues, de nombreux bancs de sables mouvants rendaient les rives extrêmement traîtres. Par conséquent, même si les péniches pouvaient naviguer près du site de construction, il fallait avoir de très longs barrots pour hisser les blocs de 200 tonnes hors de la péniche et les amener sur la terre ferme.

Le bassin portuaire était probablement situé à quelques dizaines de mètres du lieu de débarquement proprement dit. On peut raisonnablemnet affirmer qu'un sable très ferme, avec une sous-couche en pierre, était nécessaire pour supporter à la fois le tonnage des blocs, les grues, et tout l'équipement auxiliaire nécessaire au débarquement. Les prouesses techniques réalisées par les Egyptiens pour le transport et le débarquement des pierres rivalisent avec les exploits d'aujourd'hui. Cela devint évident dans les années 1960, lors de l'achèvement du barrage d'Assouan. Il aura fallu l'effort combiné de nombreux ingénieurs disposant d'un équipement sophistiqué venu des quatre coins du monde pour sauver temples, palaces et statues avant que la mise en service du barrage n'inonde à jamais ces chefs-d'œuvre colossaux. Mais tout l'équipement moderne, toute l'expertise d'ingénieurs hautement qualifiés et compétents n'ont pas suffi pour réussir à soulever la totalité des monolithes. Dans de nombreux cas, il a fallu casser les pierres en plus petits morceaux et, de ce fait, seul un faible pourcentage des édifices d'Assouan a pu être sauvé de l'inondation.

La difficulté rencontrée par les convoyeurs lors du transport des blocs sur le fleuve n'était rien à côté de celle qui consistait à acheminer les pierres sur un sol peu stable. Peut-être des véhicules à roues ont-ils été utilisés? Une peinture de la tombe de Kaemheset (Cinquième Dynastie) à Sakkarâh représente une échelle de siège montée sur roues. Sur les murs de tombes de la Dix-Huitième Dynastie, sont représentés des hommes transportant des statues et des briques lourdes en tirant, à l'aide de cordes, des traîneaux le long d'un chemin pavé de bois. On devait répandre de l'eau ou de l'huile sous le traîneau pour diminuer le frottement. Cette explication du transport des pierres soulève en fait plus de questions qu'elle n'apporte de réponses. En tout cas, le bois de construction était fort rare dans cette région où l'on ne trouvait que des palmiers, et les Egyptiens, pour qui les dattes étaient un aliment indispensable, ne les auraient certainement pas coupés pour paver des chemins. Si le bois utilisé pour la construction des routes était importé — et rien ne le prouve —, quelle sorte de bois était-ce et d'où était-il importé? De plus, même si le sol de sable était pavé de bois pour obtenir un nivellement correct et une surface lisse sur laquelle les monolithes pouvaient être hissés, les morceaux de bois devaient être fréquemment remplacés, car ils devaient probablement éclater sous la pression constante d'un poids aussi énorme. Un tel procédé de remplacement aurait été incroyablement coûteux et aurait demandé un temps exorbitant.

Mais toutes ces questions ne sont rien encore face au mystère le plus controversé parmi les égyptologues : comment les constructeurs étaient-ils capables de maintenir la régularité interne et externe de la forme de la pyramide? De nombreuses théories ont vu le jour quant à la méthode de construction de la Grande Pyramide, mais aucune preuve n'est venue confirmer, au cours des fouilles archéologiques, la véracité de l'une ou l'autre de ces théories.

La controverse a été si importante qu'en 1970, *Natural History*, la revue du Musée américain d'Histoire naturelle, a consacré une partie de ses numéros de novembre et de décembre (volume 79, numéros 9 et 10) à un débat opposant plusieurs égyptologues sur le sujet.

L'un d'entre eux, Olaf Tellefsen, prétend que les Egyptiens n'ont pas utilisé de rampe et de traîneau et que, par contre, 3 000 travailleurs ont participé à la construction de la pyramide. Tellefsen fonde son argumentation sur le fait qu'il a pu lui-même observer trois hommes manipulant de grandes pierres sur les rives du Nil. Les hommes utilisaient un équipement technique rudimentaire : à savoir, un long bras lesté. Ce bras lesté avait environ 5,5 mètres de long et pivotait à 1 mètre sur un axe de 3 mètres de haut. La partie la plus longue supportait une plate-forme qui y était fixée, et sur laquelle des pierres étaient placées comme contrepoids. Des pierres étaient alors entassées sur la plate-forme jusqu'à ce qu'elles commencent à soulever le bloc de pierre évalué à 2 tonnes. Les hommes n'avaient alors pas de difficulté à balancer et à appliquer leur propre force au bras lesté jusqu'à ce que le bloc de pierre fût correctement placé sur les rouleaux. On enlevait ensuite le contrepoids jusqu'à ce que le bloc de pierre fût installé sur les rouleaux, puis on déchargeait les pierres restantes. Deux hommes commençaient alors à pousser le bloc de pierre avec des leviers en bois pendant qu'un troisième déplaçait les rouleaux. Tellefsen conclut qu'il a été témoin d'un exploit technique venu en droite ligne du passé. Il imagine que ce principe du levier avait dû être adapté pour permettre le déplacement de blocs de pierre aussi bien latéralement que verticalement. Tellefsen ne parle pas de l'extraction, du levage ou du transport des blocs de pierre. Il ne mentionne pas non plus le temps qu'il aurait fallu aux Egyptiens pour construire les pyramides en utilisant son procédé. Il essaie simplement d'expliquer le procédé technique qui a pu être utilisé pour la construction de la pyramide, et prétend que la description qu'Hérodote en donne ne s'applique en fait qu'aux pierres de parement et non à l'édifice lui-même.

Deux égyptologues de renom, Kent Weeks et I.E.S. Edwards, s'opposent vigoureusement à la théorie d'Olaf Tellefsen et restent attachés à l'explication de la rampe et du traîneau.

Selon Weeks, une preuve importante vient à l'appui de cette thèse. En effet, les peintures des tombes de la Dix-Huitième Dynastie représentent une rampe utilisée pour le dressage de colonnes dans la cour d'un temple et, d'autre part, des restes de rampes ont été découverts sur plusieurs sites de fouilles, à Guizèh notamment. Ces rampes avaient une pente de 15 degrés environ, ce qui, selon Weeks, est « un angle éminemment convenable pour tirer des blocs ». Il cite également une inscription de l'Ancien Empire où il est dit que trois mille hommes furent requis pour tirer un couvercle de sarcophage de la carrière du Nil. On estime que la population de l'Ancien Empire était environ de 1,5 à 2 millions d'hommes. Weeks pense que la supposition d'Hérodote, selon laquelle quatre cent mille personnes étaient impliquées dans la construction de la pyramide était quelque peu exagérée puisque cela voudrait dire qu'un tiers de la population y était employé. Weeks pense qu'une estimation de cent mille hommes est plus réaliste.

Le plus conservateur des trois, I.E.S. Edwards, se cramponne aux théories émises par des égyptologues plus anciens. Il affirme qu'étant donné que ces théories s'appuient sur de réelles découvertes archéologiques, il n'y a pas lieu de les remettre en cause, tant que de nouveaux signes archéologiques n'ont pas été mis à jour.

Edwards affirme aussi qu'on ne connaît pas avec certitude l'importance exacte de la population à l'époque de la construction de la Grande Pyramide, et qu'il n'y a même pas suffisamment d'informations pour autoriser une quelconque spéculation dans ce domaine. Il prétend également que l'on ne peut valablement se référer aux écrits d'Hérodote parce qu'ils « ne correspondent pas à une citation d'époque ».

Il nous semble que nous devons, au moins en partie, être d'accord avec Olaf Tellefsen lorsqu'il suggère que les égyptologues se contentent, avec beaucoup trop d'insistance, de la théorie de la rampe et du traîneau. Leurs "preuves" sont certainement discutables et ne méritent pas le crédit qu'on leur a accordé.

En réalité, nous en sommes venus à croire que tout ce qui a été écrit sur l'histoire égyptienne n'est que spéculation et ne repose sur aucune preuve contemporaine de la période considérée. En d'autres termes, les images de la construction des pyramides ou du transport des statues que l'on trouve sur les murs des tombes de la Dix-Huitième Dynastie *ne sont pas plus* contemporaines de la Quatrième Dynastie que les statues en acier inoxydables du vingtième siècle ne

112

sont considérées comme contemporaines des statues du douzième siècle. Que des rampes aient été découvertes à proximité des pyramides ne prouve pas qu'elles aient été utilisées pour construire toutes les pyramides du site. Si certaines pyramides ont été construites au cours de la Quatrième Dynastie et d'autres au cours de la Dix-Huitième, il est possible que les rampes n'aient été utilisées que pour les pyramides de cette dernière. Les rampes n'ont peut-être été utilisées que pour démonter les pierres de revêtement qui devaient être utilisées dans une autre construction.

Il est très important de rappeler que de nombreux sites archéologiques contiennent des reliques vieilles de plusieurs milliers d'années. Il semble assez peu sérieux, la datation au Carbone 14 n'étant pas sûre, d'attribuer avec certitude un objet particulier à une époque ou à une dynastie particulière. On n'insistera jamais assez sur le fait qu'il n'y a absolument aucune preuve contemporaine de la construction des grandes pyramides concernant la méthode de la rampe et du traîneau qu'auraient utilisée les bâtisseurs.

Et il y a bien d'autres mystères ! L'un d'entre eux concerne les matériaux utilisés sur les surfaces externes des pyramides de l'Ancien Empire. A l'origine de cette controverse, un signe hiéroglyphique qui apparaît sur le mur de chaque chambre funéraire et dans chaque pyramide de la période de l'Ancien Empire. Ce signe représente une pyramide blanche avec une base noire, des côtés brun-rouge tacheté, et un pyramidion bleu ou jaune. Certains égyptologues en déduisent que la surface externe de la pyramide achevée était peinte, peut-être après l'application de plâtre, pour donner un fini lisse à la surface. D'autres croient que la partie blanche du hiéroglyphe représente le calcaire de Tourâh qui était blanc naturellement. Ils en déduisent ensuite que, contrairement à ce que l'on pense généralement, un autre type de pierre, à l'apparence tachetée, était en fait utilisé sur les côtés et que seuls la base et le pyramidion étaient peints.

Les seuls documents connus concernant la construction de la Grande Pyramide sont les écrits de l'historien grec Hérodote qui visita l'Egypte au cours du Vᵉ siècle avant J.-C., à peu près à l'époque de la Vingt-Huitième Dynastie, au moins deux mille ans après l'édification de la structure monumentale. D'après l'historien, la Grande Pyramide fut construite en vingt ans par 400 000 travailleurs. Ces travailleurs étaient divisés en quatre groupes de 100 000 hommes chacun. Chaque groupe travaillait à la construction de la pyramide pendant quatre mois par an. Si nous acceptons ces chiffres — et nous ne disposons d'aucune autre source à cet égard —, nous devons conclure que le pouvoir égyptien devait faire face à un sérieux problème, celui de procurer de la nourriture, un abri, des installations sanitaires, etc., à 100 000 travailleurs. Cependant, il ne subsiste aucune trace des installations qui devaient abriter une population aussi importante. On doit supposer alors que les travailleurs employés à la construction n'habitaient pas sur le site, mais faisaient quotidiennement le trajet de leur domicile au chantier. On ne pouvait se déplacer qu'à pied, par voie d'eau ou à dos d'animal ; les déplacements étaient donc moins rapides qu'aujourd'hui. Une estimation raisonnable du temps nécessaire à un travailleur pour arriver sur le chantier donne trois heures. Avec six heures de trajet par jour et des horaires de travail probablement de dix ou douze heures, cela laissait au maximum huit heures de sommeil (sans compter les repas et autres activités).

Autre débat : les travailleurs étaient-ils, comme on le dit parfois, exécutés une fois la pyramide terminée, de façon à ce qu'ils ne puissent pas révéler le secret des passages menant à la chambre funéraire ? Si tel était le cas, on aurait dû retrouver des fosses communes. Bien sûr, d'autres méthodes, de gigantesques bûchers funéraires, par exemple, auraient pu être employées pour se débarrasser des corps. Cependant, il n'existe aucune trace, aucune preuve qui puisse confirmer cette supposition. Mais le bon sens veut que de telles exécutions massives auraient été, pour le moins, stupides, puisqu'elles auraient anéanti la plus grande partie de la population égyptienne ! Après un tel génocide, les pharaons auraient dû attendre un minimum de quinze à vingt ans pour que la population se soit suffisamment régénérée et avant de construire une nouvelle pyramide. Mais, selon les archéologues eux-mêmes, plusieurs pyramides furent construites, à quelques années d'intervalle l'une de l'autre. Intéressant paradoxe : les hommes exécutés ne pouvaient guère participer à cette construction, et pour cause ! D'autre part, on n'accepte absolument pas aujourd'hui la version d'Hérodote selon laquelle la construction de la Grande Pyramide se serait déroulée sur vingt ans. Cependant, les archéologues ont décidé avec empressement de s'en tenir à une période de vingt-cinq ans, l'attribuant à la construction de toutes les pyramides.

Le but dans lequel les pyramides étaient construites ne semble pas poser autant de problèmes aux égyptologues que leur construction même. Ils sont convaincus que les pyramides étaient des tombes conçues pour l'inhumation des pharaons décédés. Avant l'unification, les coutumes de Haute et de Basse-Egypte étaient totalement différentes. Les Egyptiens de Haute-Egypte enterraient leurs morts dans des cimetières situés en bordure du désert. Ces tombes étaient généralement tapissées de briques et plafonnées de bois. Elles étaient marquées par un monticule de sable. En Basse-Egypte, on enterrait le corps sous le sol d'une des pièces de la maison. Voilà pourquoi les égyptologues pensent que, lors de l'unification des deux royaumes, ce fut la coutume funéraire de la Basse-Egypte qui fut adoptée. Dès lors, la transition vers des maisons funéraires pyramidales fut aisée. La pyramide aurait pu être aussi utilisée pour marquer l'emplacement d'une tombe, à la manière du monticule de sable primitif. Selon les égyptologues, le passage du monticule funéraire (ou *mastaba*) à la pyramide à degrés peut être mis en rapport avec l'Incantation numéro 267 qui fait partie des textes gravés sur les murs des chambres et des galeries des pyramides vers la fin de la Cinquième Dynastie et le début de la Sixième. On peut lire dans cette incantation : « Un escalier vers le ciel est déposé pour lui [le pharaon] afin qu'il puisse monter au ciel. » On présume donc que le roi pensait que lui-même, ou son corps spirituel, pouvait approcher le ciel céleste par l'intermédiaire d'un escalier. Il était alors évidemment nécessaire de construire un escalier symbolique. D'où la pyramide à degrés.

A propos de cette évolution de la pyramide à degrés vers la vraie pyramide, il existe une théorie selon laquelle, au cours d'une journée nuageuse, un Egyptien (membre d'une secte adoratrice du Soleil) dessina quatre rayons de soleil brillant à travers les nuages sous un angle tel qu'ils formaient une pyramide. Le dessin servit par la suite de base au plan de construction de la vraie pyramide. La majorité des experts n'acceptent pas cette explication néanmoins assez ingénieuse.

A travers tout le Moyen-Orient, on retrouve la trace d'une philosophie dominante qui exigeait l'édification de bâtiments très hauts qui permettraient aux adorateurs d'être plus près de leurs dieux. En Mésopotamie par exemple, de hautes tours de brique nommées *ziggourats* furent construites dans ce but. On pense que la Tour de Babel était en fait un ziggourat babylonien.

La spéculation sur le "pourquoi" des pyramides n'est évidemment pas l'apanage des archéologues et des historiens du XXe siècle. Les Arabes ont associé les pyramides aux narrations écrites du déluge. Ils prétendent que les pyramides furent construites à la suite d'un rêve : un déluge allait s'abattre et détruire toute la sagesse et tout le savoir des Egyptiens. Etant donné que les rêves étaient considérés avec beaucoup de crainte et de respect, cet avertissement fut pris au sérieux et des voûtes en forme de pyramides furent construites pour mettre les documents précieux à l'abri de l'inondation.

Une autre hypothèse, apparue un peu avant le Ve siècle après J.-C., veut que les pyramides aient été des silos dans lesquels Joseph avait emmagasiné le blé pour les sept années maigres. Cette croyance a duré pendant tout le Moyen Age et l'on en trouve la trace dans les décorations du dôme de l'église Saint-Marc, à Venise.

Vers 1850, un certain John Taylor publia les

résultats de ses "recherches" sur la pyramide de Chéops : selon lui, elle a été construite par une race non égyptienne et sous la direction de Dieu.

La théorie la plus communément admise aujourd'hui est que les pyramides d'Egypte étaient des tombes. Les égyptologues sont fermement et irrévocablement convaincus de la validité de cette thèse, et ce bien que les archéologues travaillant sur des pyramides presque identiques en Méso-Amérique soient tout aussi convaincus que les pyramides américaines aient été des temples.

Aussi longtemps que les égyptologues continueront à se quereller à propos des méthodes de construction utilisées pour l'édification de la Grande Pyramide, le mystère, s'il y en a un, ne sera jamais élucidé.

7

Pouvoir de la pyramide

Dans la discussion qui les oppose à propos de la Grande Pyramide de Guizèh, les archéologues, égyptologues, savants et érudits ne sont d'accord que sur deux points : la date de la construction et le commanditaire. Elle a été construite par Chéops entre 2686 et 2181 avant J.-C. Comme nous l'avons établi dans le chapitre précédent, il n'existe aucune preuve irréfutable de la date et du but de la construction.

Les seuls à rejeter la "théorie Chéops" sont les parapsychologues, prophètes, extra-sensitifs et autres mystiques ou occultistes. Nombre d'entre eux sont convaincus que la pyramide a beaucoup plus de cinq mille ans et qu'elle était bien autre chose qu'une tombe.

Edgar Cayce, le plus grand parapsychologue au monde, a dit dans l'une de ses conférences que la pyramide de Guizèh fut en fait érigée il y a plus de dix mille ans et pas par des Egyptiens. Selon Cayce, la pyramide ne fut pas conçue comme lieu d'inhumation, mais comme dépositaire de l'histoire de l'humanité depuis les origines jusqu'à l'année 1998. Cette histoire serait écrite dans le langage des mathématiques, de la géométrie et de l'astronomie.

Un expert des pratiques religieuses anciennes, Manly P. Hall, émet l'hypothèse — dans son livre *The Secret Teachings of All Ages* — que la pyramide a été construite par les survivants de l'Atlantide, le continent perdu. Certains suggèrent que les savants les plus éminents de la civilisation atlantéenne avaient pris conscience d'un désastre imminent et que, pour sauver les trésors et le savoir de leur époque, ils émigrèrent vers d'autres terres pour échapper au cataclysme. Selon la théorie de Hall, l'une de ces terres fut l'Egypte où les Atlantéens établirent des centres d'étude construits comme leurs propres temples, en forme pyramidale. Ils y cachèrent leurs secrets sous la forme d'un langage symbolique qui ne devait être découvert et compris que par ceux qui seraient dignes d'acquérir et d'utiliser cette connaissance secrète.

Dans le chapitre intitulé "L'Initiation de la Pyramide", Hall souligne qu'il est fort improbable que cette pyramide soit l'œuvre des Egyptiens puisque les murs intérieurs sont dépourvus d'inscriptions, de peintures et du symbolisme habituellement associé à une décoration royale raffinée.

122

Selon Hall, la Grande Pyramide pourrait avoir été érigée avant le déluge. Cette hypothèse s'appuie sur les nombreux coquillages qui ont été trouvés à la base de l'édifice.

Hall émet également l'hypothèse suivante : à l'époque du Calife de Mamoun, vers 820 après J.-C., les pierres de revêtement de la Grande Pyramide étaient encore intactes. Il tire cette conviction du fait que les travailleurs du Calife trouvèrent une surface lisse et brillante (les rayons du soleil faisaient scintiller chaque face de la pyramide d'une vive lumière lorsqu'ils frappaient les pierres de revêtement) sans aucune indication d'entrée. Les travailleurs décidèrent alors de créer leur propre entrée en creusant tout droit dans la pyramide. Comme il en est fait état dans le chapitre 5, ils débouchèrent finalement sur un passage, mais ne trouvèrent aucune trace des trésors légendaires que le Calife les avait envoyés chercher.

Il est cependant intéressant de remarquer que toutes les pierres de revêtement — sauf deux — ont disparu. De nombreux archéologues pensent qu'elles se trouvent, retaillées et polies, dans les murs des mosquées et des palais du Caire.

Selon Hall, la pyramide constitue une sorte de lien visible entre la Sagesse Eternelle et le Monde. Les pyramides et les monticules sont la préfiguration de la "Montagne Sacrée" ou de la "Très Haute Place de Dieu". La base carrée signifie que la pyramide ou "Maison de la Sagesse" est fondée sur la Nature et ses lois immuables : les angles représentent le Silence, la Profondeur, l'Intelligence et la Vérité. Le côté Sud de la pyramide signifie le Froid, le côté Nord représente la Chaleur, le côté Ouest symbolise l'Obscurité et le côté Est la Lumière. Les côtés triangulaires caractérisent le triple pouvoir spirituel.

Hall pense que la Grande Pyramide est « le premier temple des Mystères » ; la première structure à servir de reposoir aux vérités secrètes qui constituent le fondement de tous les arts et sciences. Hall croit que "l'initiateur" ou "l'illustre", tenant dans la main une clé à sept crans pour l'éternité, avait vécu dans les profondeurs de la pyramide. Des hommes pénétrèrent par les portiques de la Grande Pyramide, en sortirent dieux et devinrent les lumières de l'Antiquité. Le drame de la "seconde mort" aurait été joué dans la Chambre du Roi, où le candidat ou initié aurait été symboliquement crucifié et enterré dans le sarcophage.

Ce rituel permettait à l'initié d'appréhender la pièce comme un passage entre le monde matériel et les sphères transcendantales de la nature. Une partie du rituel consistait à frapper le sarcophage pour produire un son qui n'a de réplique dans aucune gamme musicale connue. Après avoir accompli les rites secrets, le néophyte renaissait ou faisait l'expérience d'une "seconde naissance", c'est-à-dire de l'acquisition de toute la connaissance du monde.

Hall a l'impression que la chambre secrète sera redécouverte un jour. De nombreux mystiques et parapsychologues réputés affirment que cette pièce sera découverte et qu'un savoir inconnu sera un jour de nouveau accessible à ceux qui peuvent comprendre les secrets qui y sont cachés.

Il est important de souligner ici que l'Atlantide n'est pas le produit de l'imagination de quelques mystiques. Platon la décrit dans son *Critias*, sous le nom de *Poséidonis*. Il remarque que l'apogée de la

124

civilisation atlantéenne eut lieu au moment où les dieux étaient en relation avec les hommes.

Eleanor Marry, auteur de *The Flaming Door*, semble d'accord avec Hall pour dire que « l'intérieur de la Grande Pyramide était une "Maison de la Mort" où la renaissance spirituelle pouvait avoir lieu et d'où l'homme pouvait quitter son corps physique pour être initié à la transe de la mort. Il en tirait un plus haut degré de conscience, c'est-à-dire une vision du monde spirituel ».

Malheureusement, ni Hall ni Merry n'offrent aucune preuve tangible à l'appui de leurs remarquables conclusions. Aucun témoignage vécu ne vient confirmer leurs thèses.

Il existe cependant un récit quasiment de première main : la description que le docteur Paul Brunton, dans son livre *A Search in Secret Egypt*, fait de la nuit qu'il passa dans la Chambre du Roi de la Grande Pyramide.

Dans les chapitres précédents, nous avons indiqué que la Chambre du Roi occupait une position stratégique à l'intérieur de la pyramide. Outre son emplacement, l'atmosphère et la température semblent avoir eu quelque mystérieuse signification. Le Dr Brunton dit qu' « elle est d'un froid particulier, comme celui de la mort, qui perce jusqu'à la moelle des os ». Il ajoute qu'en frappant sur le grand coffre, on obtenait un son inhabituel qu'il est impossible de reproduire sur aucun instrument de musique connu.

Le Dr Brunton rapporte que lorsqu'il entra dans la Chambre du Roi, il trouva une plaque de marbre près du grand coffre, qui était exactement alignée selon l'axe nord-sud. Le Dr Brunton connaissait bien la religion égyptienne et était également bien informé des découvertes les plus récentes de la parapsychologie. Il s'était donc préparé à cette nuit dans la pyramide par un jeûne de trois jours, afin d'être dans le meilleur état réceptif possible.

Assis contre le grand coffre, le Dr Brunton décida d'éteindre sa lampe de poche. L'atmosphère régnant dans la pièce était nettement "parapsychique". Il y avait quelque chose dans l'air. On pouvait sentir une présence négative inconnue. Le Dr Brunton ressentit le besoin urgent de quitter la pièce et de battre en retraite. Il se força au contraire à rester ferme malgré la présence d'êtres étranges et déformés, qui allaient, venaient et volaient sans bruit. Il dut rassembler tout ce qu'il possédait d'audace et de courage pour faire face à sa peur grandissante. Mais plus jamais il ne passerait une nuit dans la Grande Pyramide !

Soudain, l'atmosphère négative se dissipa aussi vite qu'elle était venue. Il sentit d'abord une atmosphère bienveillante remplir la pièce. Puis il discerna deux formes humaines qui ressemblaient à des grands prêtres.

Dans sa tête, il entendit subitement l'un des prêtres lui parler. Le prêtre demandait à Brunton pourquoi il était venu et si le monde des mortels ne lui suffisait pas. Brunton répondit : « Non, c'est impossible. »

Le prêtre répliqua : « Le chemin du rêve t'entraînera loin du domaine de la raison. Certains l'ont suivi — et en sont devenus fous. Retourne-t'en, pendant qu'il est encore temps, et suis la voie désignée aux mortels. »

Brunton répéta qu'il devait rester : le prêtre qui lui avait parlé se retourna et disparut. L'autre prêtre demanda que Brunton s'étende sur le coffre, comme l'avaient fait les anciens initiés. Brunton s'allongea sur le coffre. Soudain, une force l'envahit. En quelques secondes, il glissa hors de son corps. Il se trouva dans une autre dimension, où tension et contrainte étaient moins grandes. Il vit une lumière argentée reliant son nouveau corps à celui qui était étendu sur le coffre. Il prit conscience d'une sensation de liberté.

Plus tard, Brunton se trouva avec le deuxième prêtre qui lui dit de repartir avec un message : « Sache, mon fils, que dans ce vieux temple repose le témoignage perdu des premières races d'hommes et de l'Alliance qu'ils firent avec le Créateur par l'intermédiaire des premiers de Ses grands prophètes. Sache aussi que des élus furent amenés ici par le passé pour voir l'Alliance afin de retourner auprès des leurs garder en vie le grand secret. Emporte avec toi l'avertissement suivant : Quand les hommes abandonnent leur Créateur et considèrent leurs semblables avec haine, comme les princes de l'Atlantide à l'époque desquels cette pyramide fut construite, ils sont détruits par le poids de leur propre iniquité, tout comme les peuples de l'Atlantide furent détruits. »

Alors que le prêtre finissait de parler, Brunton se retrouva soudain dans son corps. Il lui sembla encombrant par rapport à celui qu'il venait d'habiter. Il se leva, mit sa veste et regarda sa montre. Il était exactement minuit, l'heure généralement associée à d'étranges événements. Son inconscient lui avait joué un tour. Et Brunton, voyant l'humour de la chose, se mit à rire.

Quand le matin arriva, il marcha vers l'entrée. Sur le point de partir, il leva les yeux vers le Soleil, l'ancien dieu égyptien Râ, et rendit grâce à sa lumière.

Apparemment, selon les critères habituels, le récit du Dr Brunton ressemble à une description de rêve incorporant des détails provenant des lectures de vieux textes religieux. Malheureusement, il serait extrêmement difficile de refaire soi-même l'expérience du Dr Brunton pour son propre compte, étant donné que les autorités égyptiennes n'accordent la permission de passer la nuit dans la pyramide que dans des circonstances exceptionnelles.

Que l'on accepte ou non l'histoire du Dr Brunton, on doit reconnaître qu'elle tourne en dérision les nombreuses théories de la régénérescence que l'on trouve ici et là.

Actuellement, au British Museum, le Papyrus d'Ani atteste de cette relation de la Grande Pyramide avec le concept de régénérescence de l'âme humaine. Mieux connu sous le nom de *Livre Egyptien des Morts*, on pense que ce manuscrit a été écrit aux environs de 1500 avant J.-C. Les traducteurs de ce papyrus, malgré quelque incertitude quant à sa signification, s'accordent à l'interpréter comme un livre rituel de préparation à la mort, avec des indications détaillées sur le comportement de l'esprit désincarné au Pays des Dieux. Cependant, cette interprétation n'est pas sans poser de multiples questions, car le titre du papyrus peut aussi être traduit par "Le Livre du Grand Eveil". Il s'agirait alors d'un rite d'initiation qu'un néophyte doit accomplir avant d'être admis dans une société secrète où il pourra acquérir toute la connaissance du monde interdite au commun des mortels.

Nous sommes persuadés que ce texte pourrait être la clé de tous les secrets impénétrables de la Grande Pyramide.

De nombreux personnages religieux et philosophes antiques, et notamment Moïse, Jésus-Christ et saint

Paul, ont accédé à la sagesse grâce à l'initiation égyptienne.

La fran-maçonnerie de la Rose-Croix et les églises chrétiennes, pour ne citer qu'elles, semblent pratiquer — sous une forme très altérée — certaines cérémonies mettant en jeu des mystères de moindre importance. Parmi ceux qui ont laissé entendre ou même clairement admis être des initiés égyptiens, figurent des sages tels que Platon, Pythagore, Sophocle et Cicéron.

La Bible relate dans trois récits séparés (saint Matthieu, chap. 26 à 28, saint Marc, chap. 14 à 16, saint Jean, chap. 18 à 21) l'arrestation du Christ, la crucifixion et la résurrection. Voici les grandes lignes de cette histoire : les grands prêtres n'aimaient pas le Christ, car son pouvoir magique était supérieur au leur, et voilà pourquoi ils décidèrent de le livrer à Pilate. Le Christ fut crucifié avec deux voleurs après un simulacre de procès et des scènes d'humiliation. Il n'est pas certain que le Christ soit effectivement mort, mais il fut néanmoins retiré de la croix et mis au tombeau après vingt-quatre heures. Ces événements semblent s'être déroulés soit le vendredi, soit le samedi. Dès le dimanche ou le lundi, le tombeau était vide et le corps du Christ avait disparu. La raison pour laquelle on ne peut être certain du jour où le Christ fut mis au tombeau est que ces événements se déroulèrent la veille du Sabbat. Si nous considérons que le Sabbat était un dimanche, cela se produisit un samedi. Ainsi, la référence au premier jour de la semaine pourrait-elle avoir trait au dimanche ou au lundi. L'enterrement dut avoir lieu un vendredi et, dès le lundi suivant, le Christ avait disparu du tombeau.

Les étrangers qui se trouvaient près du sépulcre dirent à la famille en deuil que le Christ s'était levé pour rejoindre Dieu. Par la suite, le Christ apparut à trois reprises à des groupes de gens, apparemment pour leur livrer un dernier enseignement avant de disparaître à tout jamais.

Cette histoire présente une étroite analogie avec l'initiation du néophyte et avec les pouvoirs du maître devenu le gardien du secret. Il est possible que les étrangers du tombeau aient été des grands prêtres du temple pyramidal, prêtant secours au maître qui aurait réclamé leur assistance pour revenir soit de son voyage de projection astrale (hors de son corps) qui dura trois jours, soit d'un possible état d'interruption de vie ou de méditation extrêmement profonde.

Max Freedom Long développe, dans *The Secret Science behind Miracles*, une théorie tout autre sur la construction de la pyramide.

Long parle d'un journaliste anglais, William Reginald Stewart, qui aurait découvert une tribu berbère dans l'Atlas, en Afrique du Nord, qui parlait une langue comprenant des mots semblables ou identiques à ceux des dialectes hawaiiens et polynésiens. Selon Stewart, la tribu berbère descend de douze tribus qui vivaient dans le désert du Sahara alors qu'il était encore une région fertile parcourue de nombreuses rivières. Quand celles-ci se desséchèrent, les douze tribus émigrèrent vers la vallée du Nil, prirent le pouvoir en Egypte et travaillèrent à la construction de la Grande Pyramide en participant, grâce à leurs pouvoirs magiques, à l'extraction, au transport et à la mise en place d'énormes blocs de pierre. Elles prédirent alors une période de ténèbres intellectuelles dans le monde entier ; leur magie risquait de disparaître. Elles décidèrent donc de se disperser. Onze de ces tribus s'installèrent dans la région du Pacifique,

130

tandis que la douzième tribu, pour quelque raison inconnue, décida de voyager vers le Nord et se réinstalla dans l'Atlas. Apparemment, le dernier magicien de la tribu berbère à être le dépositaire du secret mourut avant d'avoir pu achever la formation de celui qui devait assurer la pérennité de la tradition.

On pense, par ailleurs, que la Grande Pyramide constitue l'almanach, la chronique de l'histoire passée, présente et future. D. Davidson et H. Aldersmith montrent, dans *The Great Pyramid : Its Divine Message,* à quel point la construction de la Grande Pyramide était conforme jusque dans les détails à l'allégorie des Ecritures de la Pyramide.

10. Le Grand Sceau des États-Unis.

Davidson et Aldersmith, d'après les mesures des espacements de la Grande Pyramide, prétendent avoir trouvé les dates de nombreux événements bibliques tels que la naissance du Christ (samedi 6 octobre, 4 avant J.-C.) et la crucifixion (vendredi 7 avril, 30 après J.-C.).

Les auteurs expliquent également que la pyramide contient les prophéties messianiques de l'Ancienne Egypte, et ce jusqu'à la fin du monde. Davidson et Aldersmith font aussi une référence intéressante au Grand Sceau des Etats-Unis qui fut adopté par décision du congrès continental du 20 juin 1782, puis réadopté par le nouveau congrès, le 15 septembre 1789. Ils affirment que l'envers du Sceau représente la Pyramide de Chéops comme «le symbole du Royaume de Pierre». Le pyramidion — symbolisant le Christ — est suspendu en l'air sous l'œil de la Providence, se détachant ainsi du reste de l'édifice.

Manly P. Hall, dans *The Secret Teachings of all Ages,* se réfère également au Grand Sceau des Etats-Unis et souligne que le mysticisme règne parmi les membres du gouvernement. Hall montre que le Sceau ne comporte pas seulement la pyramide, mais que sur ses deux côtés figure, à plusieurs reprises, le nombre treize, symbolique et mystérieux.

Selon Hall, ce nombre mystique n'est pas uniquement lié aux premières colonies qui ont formé les Etats-Unis : treize étoiles au-dessus de la tête de l'aigle ; treize lettres dans la devise *"e pluribus unum"* ; treize feuilles et treize baies sur la branche qui est maintenue dans la serre droite de l'aigle ; treize flèches serrées dans ses griffes gauches ; treize rayures enfin sur l'emblème de sa poitrine. L'envers représente la pyramide et comporte la devise : *"annus coeptis"* aux

132

treize lettres, et la pyramide elle-même composée de treize couches de pierre. Vous pouvez vérifier vous-même ces remarques en regardant simplement la réplique du Grand Sceau des Etats-Unis qui figure sur le billet américain d'un dollar. En fait, l'observateur attentif pourra trouver d'autres apparitions du nombre symbolique treize.

Le pouvoir de la pyramide n'a pas seulement survécu à travers les millénaires, mais semble vraiment trouver une nouvelle vigueur. La première Eglise égyptienne orthodoxe fut créée à Chicago dans l'Illinois, en novembre 1963, et célébra son premier office public le 1er novembre 1964.

LA GÉOMÉTRIE ET LA GRANDE PYRAMIDE
par
Henry C. Monteith M.S. (laboratoires Sandia, Albuquerque - New Mexico)

Les mystères du passé sont nombreux, trop pour être tous cités, mais aucun n'est plus profond et n'inspire plus la crainte que la Grande Pyramide d'Egypte.

Deux millions cinq cent mille pierres, d'un poids écrasant de deux à soixante-dix tonnes, s'élèvent jusqu'à une hauteur de plus de cent quarante-quatre mètres. La précision avec laquelle la pierre était taillée et mise en place indique que les constructeurs de la Grande Pyramide étaient passés maîtres dans l'art des mesures. On a estimé qu'il faudrait six ans et plus d'un billion de dollars pour construire la Grande Pyramide avec la technologie moderne.

Les chercheurs du passé ont fait de nombreux

efforts méritoires pour essayer de comprendre dans quel but la Grande Pyramide avait été construite ; cependant, tous ces efforts sont restés vains. Je pense personnellement que la Grande Pyramide a été conçue pour garder dans la pierre le savoir et l'esprit des anciens.

Dans ce chapitre, je ne pourrai pas dévoiler tous les mystères qui se trouvent dans la Grande Pyramide, mais l'inspiration qui m'a été transmise par cet édifice grandiose permettra peut-être à ceux qui cherchent une plus grande compréhension d'eux-mêmes et de l'univers de progresser dans leur quête.

La nature de la géométrie

Il est raisonnable de penser que, dans l'univers, il y a deux types fondamentaux de géométrie :
1. Géométrie statique
2. Géométrie dynamique

La géométrie statique est la géométrie qui ne fait pas appel aux nombres PI (3, 14) et PHI (1, 618) pour déterminer les dimensions et les volumes. La géométrie dynamique peut être considérée comme la géométrie qui se sert toujours de PI et de PHI pour déterminer les dimensions et les volumes.

Les anciens philosophes croyaient que l'univers entier correspondait à un réseau qu'ils nommaient : "trame cosmique". Chaque cellule de base de ce réseau était un cube. En fait, le CUBE est la forme la plus parfaite et la plus équilibrée qui puisse être obtenue en géométrie dynamique. Toutes les figures de géométrie statique peuvent être considérées comme des modifications et des variations du cube, tandis que toutes les figures de géométrie dynamique

134

peuvent être considérées comme des modifications et des variations de la sphère. Les cinq polyèdres réguliers sont indiqués sur les figures 11 et 15 et il faut remarquer qu'elles appartiennent toutes à la géométrie statique.

A toute forme dynamique apparaissant dans le monde physique, correspond une forme statique apparaissant dans l'espace cosmique. Si la pyramide a quelque lien avec les structures élémentaires de l'espace-temps, elle doit avoir quelque rapport avec le cube. Si elle a un rapport avec le cube, alors la géométrie statique doit être implicite dans sa structure. Pour les mêmes raisons, la pyramide doit aussi avoir quelque lien avec la géométrie dynamique.

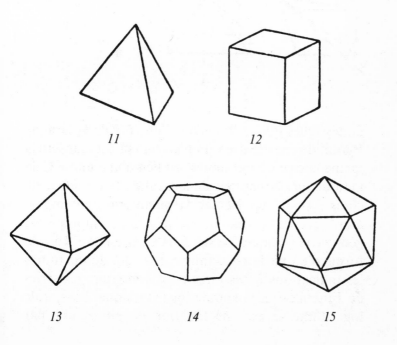

11   12

13   14   15

Considérons que nous avons un cube dont chaque côté mesure deux unités. Le cube peut être divisé en six pyramides ayant chacune la hauteur d'une unité, comme on le voit sur la figure 16. Si nous utilisons des

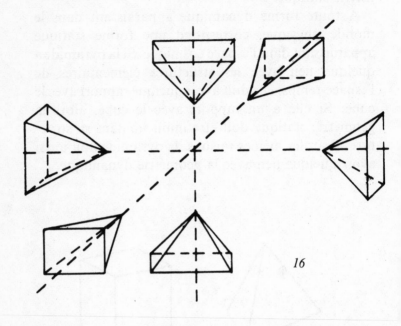

16

unités telles que la longueur d'un côté de la Grande Pyramide mesure deux unités, alors sa hauteur sera la racine carrée de PHI unités, au lieu d'une unité. Cela indique que la hauteur de la Grande Pyramide a été choisie pour représenter la géométrie dynamique, alors que la forme de la pyramide implique la géométrie statique. Le sol de la Chambre du Roi a la forme d'un parfait Rectangle d'Or qui donne toutes les indications nécessaires pour construire les séries de Fibonacci et la spirale logarithmique. La spirale logarithmique est une fonction de PHI et est, par conséquent, un bloc de construction de la géométrie dynamique.

Nous montrons, dans la figure 17, un diagramme de la spirale logarithmique. Pour un développement complet des aspects mathématiques de la spirale, voyez le livre d'Adler [1].

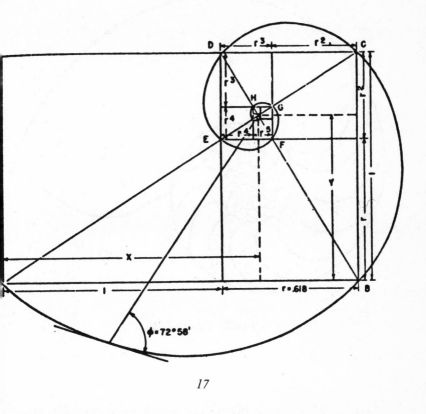

17

_____

1. L. Adler, *Mathematics for Science and Engineering*, McGraw-Hill.

La preuve des séries de Fibonacci et de la spirale logarithmique se trouve dans la nature. Dans la figure 18, nous montrons la coquille d'un Nautile, qui a la forme d'une spirale logarithmique parfaite. Dans la

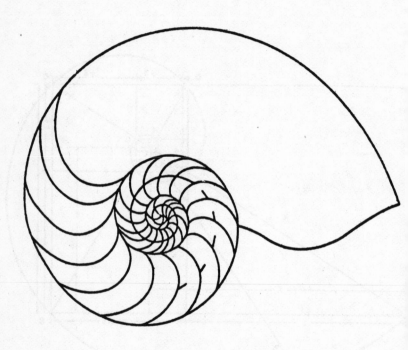

18. Coquille d'un nautile.

figure 19, nous montrons comment on peut établir la forme parfaite du corps humain par des séries de Fibonacci. Certains symboles occultes tels que l'Etoile de David ou l'étoile à cinq branches, peuvent être

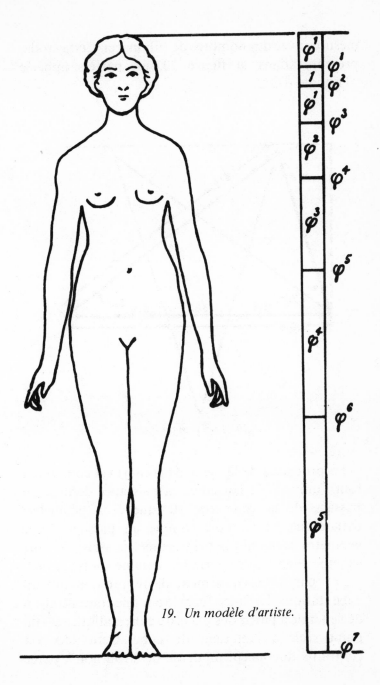

19. *Un modèle d'artiste.*

mesurés avec des nombres de Fibonacci. Cette étoile, présentée dans la figure 20, est parfois appelée "Triangle d'Or".

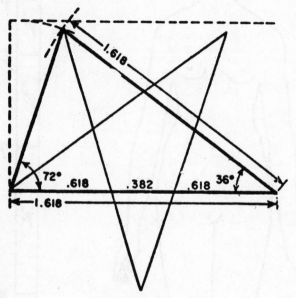

20. *Le Triangle d'Or.*

Le processus de la vie et de la mort est commun à tout l'univers. Je considère la naissance comme un passage de la géométrie statique à la géométrie dynamique, et la mort comme un passage de la géométrie dynamique à la géométrie statique. Une sphère dynamique parfaite, comme notre soleil, meurt par un rayonnement de retour donnant un cube statique. Le Soleil fut créé par une concentration de l'énergie à partir des plans du cube statique vers un point situé à l'intérieur du cube. Cette idée est contraire au concept moderne de "trou noir", parce

140

qu'un trou noir implique qu'il puisse exister une masse de haute densité sans qu'elle retourne à un état gazeux.

Je désire souligner qu'on n'a jamais découvert un trou noir et que, selon mon hypothèse, on n'en découvrira jamais. Le concept de "trou noir" est une conséquence d'un défaut dans les postulats de la physique géométrique actuelle. De même que la masse d'une étoile a pour origine une projection dans la géométrie statique, cette masse doit retourner par radiation à la géométrie statique d'où elle vient. La forme de la Grande Pyramide indique la concentration matérielle d'un état gazeux (base de la pyramide) jusqu'à l'état solide (sommet de la pyramide). Ce qui implique une force réalisant cette concentration. Cette force peut être analogue au pouvoir de l'"esprit" quand il se concentre sur un seul point.

La physique moderne essaie de prouver que toute là physique est un résultat de géométrie pure. Je ne suis pas d'accord avec ce concept, puisque je pense que la géométrie n'est que la "structure" de l'espace et que la "lumière" habite cette structure. Le léger phénomène de résonance, présent dans toute la physique atomique, apparaît comme la conséquence de l'action d'ondes lumineuses sur la géométrie de l'espace. Nous devrions être capables de décrire le mouvement de la lumière en utilisant la géométrie dynamique ; et les cavités dans lesquelles la lumière résonne, en utilisant la géométrie statique.

D'une part, le fait que la Grande Pyramide fut construite de telle sorte qu'elle implique la "quadrature du cercle" dans le plan et dans l'espace, signifie pour moi que les Anciens essaiaient de nous dire que la forme statique doit être changée en une forme dynamique. La pyramide peut être facilement changée en un cône, et le cube peut de même être changé en sphère. Le cône est une représentation parfaite de la concentration dynamique d'énergie. Cela implique que la forme conique est liée, de quelque façon, à la création. D'autre part, la spirale logarithmique donne l'impression d'un "développement" vers l'extérieur. Je pense, par conséquent, qu'il y a un rapport avec le passage de l'état de géométrie dynamique à l'état de géométrie statique.

Autre point intéressant : examinons le volume de la Grande Pyramide, en utilisant des unités telles que chaque côté ait une longueur égale à deux unités. Un cube, dont chaque côté mesure deux unités de long, a un volume de huit unités cubiques. Admettons que chaque unité cubique contienne une unité d'énergie, alors nous pouvons dire que le cube a un volume de huit unités, comprenant huit unités d'énergie. Six fois le volume de la Grande Pyramide d'Egypte contient huit fois la racine carrée de PHI unités de volume ; cela peut donc représenter huit fois la racine carrée de PHI unités d'énergie. Cela veut dire que la pyramide représente plus d'énergie qu'il n'est nécessaire pour supporter un cube correspondant. Cela implique que le cube contient de l'énergie ; nous supposons donc que cette énergie est de l'énergie lumineuse.

Depuis Newton, nous savons qu'à toute action, il y a une réaction égale et opposée. Etant donné que l'univers doit toujours être en équilibre constant, il est logique de supposer qu'il doit exister une réaction ou contrepartie à toutes les forces et entités perçues. Par exemple, nous savons que si nous avons placé une charge positive à une certaine distance du sol, nous pouvons localiser le champ compris entre la charge et le sol en supposant qu'il y a une autre charge, négative, située à une égale distance sous le sol. En d'autres termes, quand il y a présence d'une charge positive, une charge négative est également présente. Je pense donc qu'il existe une ou plusieurs *anti*-pyramides de la Grande Pyramide.

A cause de son asymétrie, la pyramide implique deux directions de projection de pensée, l'une dirigée vers le sommet, dont nous nous servons pour représenter la création matérielle, et l'autre vers la base dont nous nous servons pour représenter la destruction. La pyramide d'antidestruction, située sous le sol, et la pyramide réelle se trouvent dos à dos — voir figure 21. La pyramide d'anticonstruction,

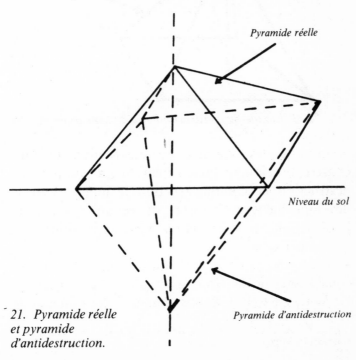

Pyramide réelle

Niveau du sol

21. Pyramide réelle et pyramide d'antidestruction.

Pyramide d'antidestruction

143

située au-dessus du sommet, et la pyramide réelle se trouvent sommet à sommet — voir figure 22. Le rôle

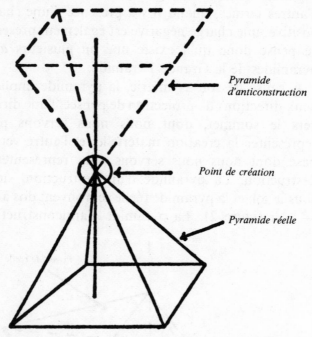

Pyramide d'anticonstruction

Point de création

Pyramide réelle

22. *Pyramide de construction et d'anticonstruction.*

de joint que les pyramides de construction et d'anti-construction jouent dans la création, les pyramides de destruction et d'antidestruction le jouent dans le développement et la mort de ce qui a été créé. Destruction et construction agissent cycliquement l'une sur l'autre.

Nous voyons donc que l'on peut tirer les mêmes conclusions de la Grande Pyramide que celles du Dr Walter Russel[1], tandis qu'il était dans un état de

1. W. Russel, *The Secret of Light,* Université de Science et de Philosophie, Waynesboro, Virginie.

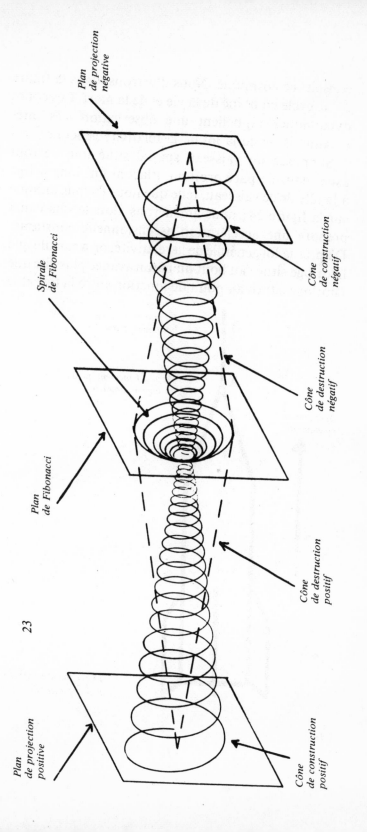

23

Plan
de projection
positive

Cône
de construction
positif

Cône
de destruction
positif

Plan
de Fibonacci

Spirale
de Fibonacci

Cône
de destruction
négatif

Plan
de projection
négative

Cône
de construction
négatif

conscience cosmique. Nous illustrons, dans la figure 23, le cycle combiné de la vie et de la mort. Ces cônes dynamiques rappellent une observation très intéressante issue de la loi de la relativité générale.

Supposez un vaisseau spatial situé loin de tout astre, dans l'espace profond. Plaçons une longue tige à la tête de ce vaisseau, telle que nous l'avons indiqué sur la figure 24 ; nous amènerons alors le vaisseau à prendre une accélération ascensionnelle constante. D'après la loi générale de la relativité, on a calculé que l'horloge située au bout du bâton avance plus vite que l'horloge située au point de jonction entre la tige et le

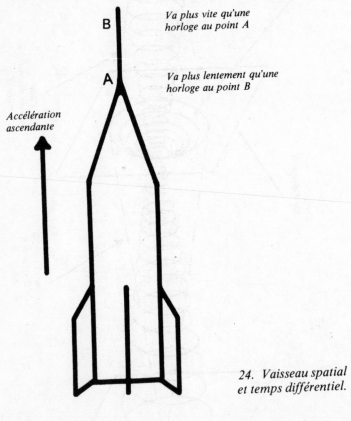

B   *Va plus vite qu'une horloge au point A*

A   *Va plus lentement qu'une horloge au point B*

Accélération ascendante

24. *Vaisseau spatial et temps différentiel.*

vaisseau. On a déterminé à partir de telles conclusions que l'espace-temps agit de manière très semblable à un espace courbe (géométrie dynamique). On a déterminé ensuite que le diagramme d'espace-temps que décrit le vaisseau en accélération par rapport au reste de l'univers, a la forme de deux cônes, sommet à sommet, comme on le voit sur la figure 25.

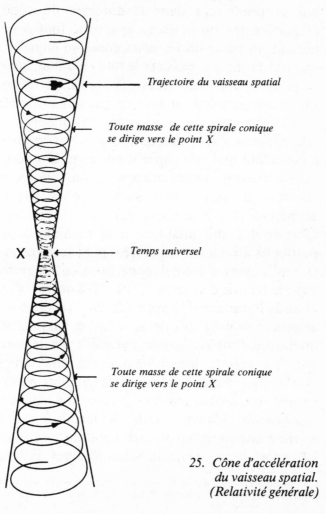

Trajectoire du vaisseau spatial

Toute masse de cette spirale conique se dirige vers le point X

X   Temps universel

Toute masse de cette spirale conique se dirige vers le point X

25. Cône d'accélération du vaisseau spatial. (Relativité générale)

147

C'est tout à fait analogue à ce qui a été déduit de la Grande Pyramide. Ce cône d'espace-temps a des implications très intéressantes : le point où les sommets des deux cônes se joignent est le point d'ancrage pour toute action dans le système. Les anciens Hindous croyaient que tout élément de la création est équilibré en un point. Tous les événements qui se produisent dans le domaine du cône de l'espace-temps du vaisseau spatial le font simultanément au point où les deux cônes se joignent. En d'autres termes, le passé et le futur n'ont aucun sens au point de rencontre des deux cônes. « Tout ce qui fut est, maintenant, et tout ce qui sera est, maintenant ! » En fait, nous sommes en présence d'un concept éternel et cosmique que nous ne comprenons aujourd'hui que très superficiellement. Du point de vue du vaisseau spatial en accélération, tous les corps célestes qui sont situés dans le cône supérieur accélèrent vers le sommet dans le sens ascendant. C'est tout à fait analogue à la manière dont les particules atomiques sont créées par l'accélération de la lumière vers le point de concentration. On retrouve aussi la théorie du temps de Nikolaï Kozyrev [1] dans la Grande Pyramide d'Egypte. L'asymétrie est la pierre angulaire de cette théorie du temps et l'asymétrie est impliquée dans la Grande Pyramide par le nombre PHI. La spirale logarithmique est une structure asymétrique. Si un système est en équilibre parfait, il ne peut en aucune manière y avoir apparition d'un mouvement. L'un des buts élémentaires de l'asymétrie est de mettre en place les conditions nécessaires à l'apport du mouvement. Selon Kozyrev, le temps a

---

1. N. Kozyrev. *Possibility of Experimental Study of the Properties of Time*, Joint Publications Research Service, N.T.I.S., Springfield, Virginie, 1968.

la faculté d'affaiblir l'entropie d'un système ; cependant, l'action du temps sur un système est si infime qu'elle se produit sans être détectée dans le système physique qui nous est familier. Si l'action du temps sur un système devient discernable, les ingénieurs l'attribuent simplement à des perturbations du système. Dans la Grande Pyramide d'Egypte, l'action du temps a été amplifiée par la forme de la pyramide pour lui permettre de préserver la matière organique. Cours du temps et bioplasma sont simplement deux termes différents utilisés pour décrire la même force mystérieuse qui est responsable de la création et du maintien de tous les systèmes matériels. Selon Kozyrev, le bioplasma a la faculté d'accroître l'énergie d'un système, mais est incapable d'affecter l'instantané d'un système.

Le bioplasma devrait avoir des propriétés qui sont juste à l'opposé de l'énergie nucléaire. C'est le Dr Wilhelm Reich [1] qui a fait les premières expériences à ce sujet. Il en parle sous le nom d'"expérience d'Oranur". Le bioplasma réagit violemment au matériau radioactif, produisant un sous-produit extrêmement dangereux pour la vie en un temps très bref. Cependant, la radioactivité est réduite par l'action du bioplasma. Cette expérience donne la preuve que le bioplasma est vraiment une force créatrice qui agit dans un sens opposé à la force nucléaire. Pour reprendre les mots de Kozyrev : «Si la mécanique nous permet un jour de détecter et de contrôler les processus vitaux en dehors de la vie organique, des machines opérantes renforceront les potentialités mondiales. Une harmonie authentique entre l'homme

---

1. W. Reich, *Cosmic Superimposition,* Fondation Wilhelm Reich, Orogonon, Rangeley, Maine, 1951.

et la nature peut donc être établie. Aussi abstrait que ce rêve paraisse, il a une base réaliste. »

Nous pouvons comprendre, à partir de ces considérations, que le "Temps" est simplement l'aspect géométrique du bioplasma, exprimé en géométrie statique ; tandis que la concentration (concentration d'énergie) est son aspect dynamique, exprimé à travers la géométrie dynamique. L'action réciproque des géométries statique et dynamique accomplit le processus de décomposition et de mort, parallèlement à celui de la vie. La figure 23 illustre le cycle vie-mort. Les plans statiques contiennent les causes de la création et les points focaux incarnent les effets de la création. En d'autres termes, dans l'univers, toutes les causes sont inhérentes à la géométrie statique, tandis que tous les effets sont ancrés dans la géométrie dynamique.

Pour que ces idées soient acceptées et utilisées par la science contemporaine, elles doivent être énoncées sous une forme analytique détaillée. Jusqu'ici, cette nécessité n'a pas été réalisée par ceux qui, comme moi, font des recherches sur le sujet. C'est ma conviction que la prochaine révolution scientifique se fera d'après cette démarche. L'énergie responsable de la création de l'univers doit être prise en considération par la science moderne si l'on veut résoudre les problèmes auxquels la science d'aujourd'hui est confrontée. Par exemple, il ne peut y avoir de théorie du champ unifié si l'on n'a pas compris la nature du bioplasma. Une étude complète et détaillée de la Grande Pyramide menée par des savants compétents et se référant au bioplasma pourra jeter quelque lumière sur notre ignorance.

Dans son livre *Secrets of the Great Pyramid*, Peter Tompkins [1] dresse un inventaire fantastique d'informations calculées d'après les dimensions de la Pyramide de Chéops relevées à la fin du XIXe siècle et au début du XXe. Cela va de la pyramide considérée comme « repère géodésique parfait » dont les angles englobent la région du delta dans sa totalité, jusqu'à la hauteur de la pyramide considérée comme billionième partie de la distance au soleil. Des ingénieurs et mathématiciens ont démontré que la Grande Pyramide incarnait la valeur de PI (π) égale à 3,144..., proche de l'équivalent exact de 3,14159 qui ne fut correctement établi qu'au VIe siècle après J.-C. Les Egyptiens étaient apparemment bien conscients que la terre était un globe et il est possible qu'à partir de là, ils aient déterminé qu'il y avait trois cent soixante-cinq jours dans une année et que le périmètre de la base de la pyramide était une fraction exacte de la circonférence de la Terre.

Cependant, Tompkins n'essaie même pas d'expliquer dans quel but ces calculs étaient faits. La spéculation mystique ne s'est pas limitée à la Grande Pyramide ; elle concerne aussi le Grand Sphinx, qui tient sa garde énigmatique à moins de cinq cents mètres au sud-est de la pyramide, près de l'édifice de Khephren, dans la vallée. Nombreux sont ceux qui croient encore que les pyramides contiennent plusieurs chambres et passages cachés qui les relient au Sphinx et aux pyramides alentours. La découverte de ces chambres et corridors résoudra les milliers de mystères qui nous sont parvenus à travers les âges.

On pense également que l'adepte devait gagner

1. P. Tompkins, *Secrets of the Great Pyramid,* Harper and Row, New York, 1971.

l'entrée des chambres secrètes de la Grande Pyramide en passant par une porte cachée entre les pattes du Sphinx. Cette porte secrète ne pouvait être ouverte que par le maître qui avait connaissance d'un levier caché qui déclenchait l'ouverture d'un portail de bronze. L'adepte devait alors commencer sa première leçon tandis qu'il traversait les couloirs en forme de labyrinthe. Le processus d'initiation consistait à choisir le bon itinéraire menant à la renaissance divine.

Bien sûr, on n'a jamais trouvé une telle entrée secrète. On pense que si elle a vraiment existé, elle fut scellée à jamais au cours des nombreuses restaurations réalisées par les civilisations successives.

Une autre théorie dit que cette entrée secrète peut se trouver *juste sous* le Sphinx.

D'autres pensent que le Sphinx lui-même est la véritable porte donnant accès aux passages secrets et que si l'on exécute quelque rituel inconnu, on remettra la grande statue dans une position telle que l'entrée sera révélée.

On connaît la fameuse énigme : « Quel est l'animal qui marche à quatre pattes le matin, à deux pattes à midi, et à trois pattes le soir ? » Le sphinx qui gardait la route de Thèbes posait cette devinette à tous ceux qui passaient devant lui et tuait ceux qui ne pouvaient y répondre correctement. Le premier à avoir donné la réponse exacte fut Œdipe. La réponse est : « L'homme lui-même qui, lorqu'il est enfant, rampe avec ses mains et ses pieds, lorsqu'il est adulte, se tient debout, et lorsqu'il est vieux, se traîne en s'aidant d'un bâton. »

Une autre réponse à cette énigme mettant en jeu les valeurs numériques de Pythagore, est offerte par la science numéralogique. Les trois nombres, quatre, deux et trois, font au total neuf, nombre naturel de l'homme. Quatre représente l'homme dans son ignorance, deux symbolise son développement comme être intelligent, et trois signifie le pas final vers la domination du savoir universel de la personne spirituelle.

La Grande Pyramide aurait dû être construite pour recevoir et conserver pour l'éternité la sagesse des peuples. Et ce, sous forme de hiéroglyphes qui sont propices aux erreurs de traduction et d'interprétation.

Les livres sont périssables. Une fois que le livre est détruit, s'il n'en existe pas de copie, le savoir et l'information contenus dans ce livre sont perdus à jamais, à moins que l'auteur ne soit capable d'en faire une réplique exacte.

Il semble probable que les Anciens, dont la culture scientifique et artistique était hautement développée, aient désiré préserver leur savoir de manière indestructible. Mais les civilisations postérieures ont été incapables d'interpréter les hiéroglyphes. Les Anciens ont commis l'erreur de croire que le symbolisme qui était évident pour eux serait également évident pour d'autres peuples, en d'autres lieux et d'autres temps.

Que l'on songe à la gravure installée dans le véhicule spatial de la N.A.S.A. chargé de transmettre un message symbolique à tout habitant possible d'autres planètes où le vaisseau spatial était susceptible de se poser. Ce message utilisait le langage de l'astronomie, de la chimie atomique et de simples images d'éléments terrestres. Il est plus que probable que si un extraterrestre découvre le véhicule et essaie de déchiffrer la gravure, il la trouvera totalement impénétrable. L'information contenue dans la Grande

Pyramide correspond exactement à ce genre de symbolisme — évident pour son créateur mais incompréhensible pour le lecteur d'une autre époque ou d'un autre monde.

C'est par instinct que l'homme veut préserver son savoir pour la postérité. Ainsi, les centaines de milliers de volumes de la fameuse bibliothèque d'Alexandrie. Ces livres étaient en bois, pierre, parchemin, terre cuite, vélin et même en cire.

Cette bibliothèque fut détruite au cours d'une série d'incendies criminels dont le second fut ordonné par le César régnant en 389 après J.-C. dans le but de détruire la flotte d'Alexandrie. Les volumes ayant survécu à l'action pyromane furent immolés plus tard par les chrétiens pour obéir à l'édit de Théodosius ordonnant la destruction du *Serapeum*, le bâtiment consacré à Sérapis. On pense que ce bâtiment contenait la bibliothèque dont Marc-Antoine fit cadeau à Cléopâtre en compensation des parties détruites par le premier incendie en 51 après J.-C.

Les livres qui auraient pu survivre à la série d'incendies ont pu être emportés dans d'autres parties de l'Egypte, ou même en Inde, mais rien ne permet d'en suivre la trace. Or, les secrets de la Pyramide étaient probablement révélés par les livres de la bibliothèque d'Alexandrie. Le mystère des pyramides restera donc entier pour l'éternité.

8

L'histoire fantastique de l'étrange brevet n° 91 304

par Karl Drbal

Karl Drbal est un ingénieur radio en retraite qui fut un pionnier de la radio et la télévision en Tchécoslovaquie. Il a maintenant plus de soixante-dix ans, et près de la moitié de sa vie a été consacrée à la théorie de la régénération de l'énergie. Ce chapitre a été spécialement préparé pour ce livre; il a été écrit par M. Drbal à Prague, le 12 février 1974.

C'est l'histoire du brevet n° 91 304, une étrange invention qui a fait le tour du monde : en effet, une petite réplique en carton de la Grande Pyramide de Chéops peut affecter le fil d'acier d'une lame de rasoir !

Il faut insister sur le fait que l'autorisation d'application du brevet, qui fut déposé à Prague en 1949, ne fut accordée qu'en 1959. Le temps normal requis par la Commission d'examen des brevets varie d'un à trois ans, il est donc évident que la Commission a considéré l'invention qui lui était soumise comme quelque chose d'assez extraordinaire.

Pendant cette période, j'ai dû développer de nouveaux arguments scientifiques pour expliquer comment ce dispositif extrêmement simple pouvait, sans aucune sorte manifeste d'énergie, influer sur le fil d'une lame de rasoir émoussée par les rasages répétés.

A l'origine, lorsque j'ai fait la demande du brevet, il s'agissait presque d'une blague entre moi et mes amis ingénieurs radio. Ces derniers m'encouragèrent à faire cette demande simplement pour voir quelle serait la réaction du bureau des brevets à une demande concernant un "Système de rasage du Pharaon". Je dois cependant souligner que ces amis, après avoir utilisé pour plus de cent rasages une seule lame de rasoir rangée dans une pyramide-régénérateur, étaient comme moi tout à fait persuadés du bon fonctionnement de ce procédé.

Mais c'était une autre affaire de persuader les membres de la Commission des brevets ! Je me suis donc consacré à l'étude des relations cosmiques, telluriques ou de micro-onde suceptibles d'exister entre la cavité résonante d'une maquette de la Pyramide de Chéops, construite dans un matériau diélectrique (carton ou autre), et le fonctionnement de la structure cristalline du fil de la lame de rasoir. J'ai également étudié l'influence du champ magnétique terrestre, parce que l'une des conditions de fonctionnement est que l'axe longitudinal de la lame

158

doit être placé dans la direction de la composante horizontale du champ magnétique terrestre.

Je travaillais alors dans un grand institut de recherche radio. J'avais ainsi un accès facile à toute la littérature technique du monde entier. Pas à pas, pendant ces dix ans de lutte, j'ai pu établir une théorie sur l'aimantation de la cavité résonante d'un modèle réduit de pyramide par des micro-ondes cosmiques (principalement du soleil) grâce à la concentration du champ magnétique terrestre.

J'ai construit une maquette en carton "type Chéops", de 8 cm de haut et d'une base de 12,5 cm de côté, et je la présentai à l'examinateur en chef des brevets (un excellent spécialiste en métallurgie). Etant donné que la maquette fonctionna parfaitement pendant cette période de dix ans, il était à même de dire lui-même que l'invention n'était pas une mystification. Il dut alors défendre mon invention devant la commission d'examen des brevets. Je suis persuadé que sans l'aide de cet examinateur honnête, l'"étrange" brevet n° 91 304 n'existerait pas aujourd'hui.

Mon projet était conçu pour une maquette du "type Chéops", dont le côté de la base pouvait être facilement calculé en multipliant la hauteur de la pyramide par PI/2 (1,57079), ce qui est spécifié avec précision dans la description du brevet. Cependant, l'invention ne se limite pas à cette forme spécifique puisque j'ai trouvé que d'autres formes pyramidales sont également capables de produire le même effet.

Le titre du descriptif du brevet est le suivant : "Dispositif pour entretenir l'effilage des lames de rasoir et des rasoirs". (Il est bien précisé ici que le dispositif N'EST PAS UN AIGUISOIR mais un RÉGÉNÉRA-TEUR.)

Le dernier paragraphe précise : « Cette invention a été spécialement testée par un dispositif pyramidal particulier, mais il n'est pas restreint à cette forme spécifique ; autrement dit, il peut également être valable pour d'autres formes géométriques en matériau diélectrique utilisées de la manière suivante : Dans l'espace contenu par cette forme, un processus automatique de régénération agissant sur le fil de la lame de rasoir va s'amorcer. Il est uniquement produit par la dite cavité (cela veut dire que l'excitation de cette cavité est uniquement produite par le champ cosmique et terrestre environnant, par exemple champ électrique, magnétique, électromagnétique, gravitation, champ corpusculaire et peut-être d'autres champs et d'autres énergies non encore définis). Ce procédé, agissant sur le fil de la lame de rasoir en produisant une diminution du nombre de perturbations internes (dislocations provoquées par le rasage) dans les chaînes fenestrées de la structure microcristalline du bord de la lame (elle doit être en acier de la meilleure qualité) a provoqué comme résultat une RÉGÉNÉRATION de la belle structure cristalline du fil de la lame ; une régénération qui opère une rénovation des propriétés mécaniques et physiques du fil de la lame de rasoir, supprimant la "fatigue" du matériau, consécutive au rasage, et ceci uniquement si les perturbations de la structure fenestrée du cristal sont de type élastique et non pas de type définitif (par exemple, destruction mécanique du fil de la lame). »

Permettez-moi de commenter ici l'hypothèse de base selon laquelle il faut que la lame d'acier soit de toute première qualité, de telle sorte que la déformation de la microstructure du fil de la lame produite par de multiples rasages ne soit pas de caractère définitif, mais élastique.

La pyramide doit seulement produire une accélération du processus qui ramène la déformation élastique à l'état initial (ou presque) du fil de la lame ; accélération qui, au lieu des quinze à trente jours habituels, est ramenée à vingt-quatre heures seulement !

Un autre effet très intéressant a été découvert par le professeur Dr Carl Benedicks de Stockholm (voir *Metallkundliche Berichte, von Metallen und Nicht-metallen durch eine benetzende Flüssigkeit – Flüssig-keitseffekt*). Il s'agit de l'effet de "souillure liquide" qui produit sur l'acier une action réductrice, mais non corrosive, sur la dureté de l'acier (l'eau agissant sur l'acier peut réduire sa dureté de 22 p. 100). Cet effet s'accroît dans les micro-cavités du fil, d'où il est difficile (on peut même dire impossible) d'extraire les pernicieuses molécules d'eau bipolaires.

La pyramide est le seul dispositif qui puisse effectuer le salutaire travail d'évacuation des molécules d'eau bipolaires qui se trouvent dans les creux du fil cristallin de la lame de rasoir, et ce par une action résonante sur ce dipôle. Nous pouvons donc dire symboliquement qu'il déshydrate le fil de la lame de rasoir.

Cette action sur les molécules d'eau bipolaires dans une cavité résonante, alimentée par l'énergie de micro-ondes appropriée, a été prouvée par les savants Born et Lertes (voir *Archiv. der elektrischen Ueber-tragung*, 1950, Heft I, p. 33-35, "*Der Born-Lertessche Drehfeldeffekt in Dipolflüssigkeiten im Gebiet der Zentimeterwellen*"). Ils ont trouvé que les micro-ondes d'une longueur d'onde d'un centimètre et leurs harmoniques peuvent produire une rotation accélérée des molécules d'eau bipolaires, et cet effet peut entraîner un processus de déshydratation — l'"évacuation" des molécules d'eau bipolaires des plus petites cavités et leur projection à l'air libre. C'est exactement le procédé de déshydratation électromagnétique.

On peut se poser alors la question suivante : pourquoi les maquettes de pyramides doivent-elles être construites en matériau diélectrique ? La réponse est simplement que les micro-ondes peuvent pénétrer ce matériau et alimenter la cavité résonante. C'est une découverte très ancienne (voir *Journal of Applied Physics,* vol. 10, juin 1939, p. 391-398, Richtmyer, R.D. Stanford University, Californie, *"Dialectic Resonators"*).

Il faudrait souligner ici que dans les techniques de micro-ondes, le résonateur de micro-ondes doit être alimenté par quelque petite antenne ou par un trou de raccordement. Cependant, même si elle n'en est pas pourvue, la pyramide peut fonctionner sans problème — j'ai expliqué que les micro-ondes peuvent pénétrer directement à travers le matériau diélectrique (si les micro-ondes sont réellement en action). Cela a été expérimentalement confirmé par des techniques des micro-ondes, comme Henry Copin par exemple (voir *Electronique, Revue technique électronique,* n° 118, septembre 1956, p. 10-13, Henry Copin, ingénieur au service des Transmissions militaires : "De l'existence possible d'ondes stationnaires dans les cellules vivantes"). Cet auteur suppose que chaque cellule vivante est un résonateur à micro-ondes et, en tant que radio-technicien, explique le mécanisme de l'excitation d'une cavité dont les murs extérieurs sont en matériau diélectrique ou semi-conducteur.

L'objection des examinateurs, selon laquelle la pyramide n'est pas une forme habituelle de dispositif à micro-ondes, était facile à réfuter. Notamment, grâce à des articles tels que *Zeitschrift für angewandte Physik,* vol. 6, Heft II, 1954, p. 499-507, Gerhard Piefke, "*Die Ausbreitung elektromagnetischer Wellen in einem Pyramidentrichter*").

J'ai également été invité par le Bureau à parler de la quantité d'énergie micro-onde venant du Soleil, puis réfléchie par la Terre, pour ce qui est de la possibilité d'action de la résonance sur la micro-structure grillagée de la lame de rasoir. J'ai prouvé de manière scientifique qu'avec l'aide de la cavité pyramidale résonante, ou par l'effet concentré d'une corne pyramidale, cette énergie pouvait être suffisante. J'ai prouvé par la suite que l'énergie nécessaire à la grille cristalline d'acier pour agir sur les dislocations n'est que de 1 à 1,5 électronvolts (un électronvolt représentant l'énergie de $1,6 \times 10^{-19}$ watts par seconde). Ce qui veut dire que cette énergie est très faible et peut être facilement contrecarrée par une action sphérique et technique (micro-ondes produites dans le creux de la pyramide par des dispositifs techniques). Voir, par exemple, P. Fischer et Kochendörfer, *Plastiche Eigenschaffen von Kristallen (Kristallgittern) und metallischen Werstoffen* (caractères plastiques des grilles cristallines d'acier).

Il ne faut pas placer la pyramide régénératrice trop près des murs d'une pièce, ou trop près de masses métalliques plus importantes ou d'appareils électriques trop nombreux (en tout cas, pas sur les postes de télévision).

Pour expliquer de manière simple comment la pyramide agit sur le fil de la lame de rasoir, je voudrais la comparer à la cellule de l'appareil photo qui, comme la pyramide, fonctionne sans aucune source artificielle d'énergie et uniquement grâce à la vitesse de la lumière du soleil. La seule différence entre les deux dispositifs est que le mien fonctionne avec une lumière du soleil *invisible*.

Il devrait être clair maintenant qu'il n'entre pas de magie dans le fonctionnement de la pyramide à lames de rasoir, pas plus que dans la momification. En fait, deux facteurs principaux sont ici à l'œuvre :

1. Déshydratation rapide (qui, comme je l'ai expliqué plus tôt, agit d'une certaine manière sur la lame de rasoir).

2. Action sur la grille micro-cristalline de composition inorganique (fine couche d'acier), ou action sur la structure d'un élément organique, vivant ou mort, stérilisation qui veut dire destruction de micro-organismes. Il faut ajouter que, dans des cas extrêmes, cette action peut véritablement tuer des petits animaux par déshydratation rapide et par une certaine "dévitalisation".

J'ai brièvement parlé de maquettes autres que Chéops, dont l'élévation est de 51°51'51" (Piazzi Smith, Angleterre ; Abbé Moreux, France ; L. Seidler, U.R.S.S.). J'ai, ainsi que des expérimentateurs français, trouvé qu'on pouvait construire une maquette de pyramide fonctionnant très bien avec une élévation de 65° (ce qui, en Europe, correspond à peu près à l'angle d'inclinaison magnétique). J'ai appelé ce modèle la "Pyramide à Inclinaison".

A la verticale du mur de cette maquette, nous trouvons un angle d'élévation de 25° ; cette forme

164

constitue une très bonne pyramide à momification avec une grande surface murale; je l'appelle "Pyramide à Contre-Inclinaison". Avec tous ces modèles, j'ai réalisé un grand nombre de momifications, mais pour la lame de rasoir, ma préférence va au modèle Chéops.

Dans le n° 9 de 1973 du journal *Esotera* (R.F.A.), p. 799-800, Hans Joaquim Höhn confirme l'action de la pyramide de Chéops sur les lames de rasoir, mais propose son propre modèle dont l'angle d'élévation est 69°20', le côté de base, 15 cm, la hauteur 22 cm, et avec lequel il obtint, dit-il, cent quatre-vingt-seize très bons rasages en utilisant une lame Wilkinson-Sword.

A l'origine de mes expériences, il y a M. Antoine Bovis, un Français, pour qui l'intuition, sans preuve scientifique, était totalement suffisante : il a fait des expériences tant avec la baguette de sourcier qu'avec le pendule. C'est probablement grâce au pendule qu'il a trouvé le pouvoir de momification des petites maquettes de Chéops.

Lors d'un voyage en Egypte, M. Bovis a visité la Grande Pyramide et trouvé dans la Chambre Royale, qui fait un tiers de la hauteur totale de la pyramide, des animaux momifiés. Dans un éclair d'intuition, il en a déduit que la pyramide avait des pouvoirs de momification et, à son retour, il a reproduit des modèles réduits de la Grande Pyramide, en utilisant l'échelle du 1/500 (30 cm de haut), calculant le côté de la base en multipliant la hauteur par PI/2, soit approximativement 1,57.

Bovis était sûr que ses expériences de momification réussiraient sans l'aide des connaissances techniques et des données scientifiques. Pour lui, le petit pendule dont il avait lui-même déposé le brevet de construc-

165

tion était suffisant. Pour Bovis, il était facile de déposer un brevet du pendule, puisque, en France, à l'inverse de la Tchécoslovaquie, il est possible d'obtenir un brevet sans fournir la moindre explication technique.

Je suis tombé pour la première fois sur le nom d'Antoine Bovis dans une petite brochure de radiesthésie publiant ses conférences données au cercle de radiesthésie de Nice.

Dans l'une d'entre elles, il parle de ses expériences de momifications avec des maquettes en carton de la pyramide de Chéops.

J'ai à mon tour construit une maquette de Chéops, de 30 cm de haut, avec un carton de 3 mm d'épaisseur (échelle 1/500) et, à ma grande surprise, j'ai pu, comme M. Bovis, réaliser des momifications. J'ai pu répéter avec succès ses expériences de momifications sur de la viande de bœuf, de veau ou d'agneau, des fleurs, et même des petits reptiles morts tels que grenouilles, serpents, lézards, etc.

J'ai donc entamé une correspondance avec M. Bovis pour le tenir informé de mes expériences.

Bovis, quincaillier à Nice, se considérait comme un grand découvreur dans le domaine des lois radiesthésiques. Parmi ses productions, on trouve le pendule "paradiamagnétique", un radioscope, un biomètre, des plaques "magnétiques" pour momification et action sur les liquides, sur les matériaux magnétiques et non magnétiques ; tout cela fabriqué et mis sur le marché depuis 1931.

En collaboration avec M. Martial, de Valenciennes, j'ai publié mes résultats dans des bulletins de radiesthésie français et belges (par ex. *La Revue Internationale de Radiesthésie*, n°7, avril 1948, p. 54-57,

166

France; *La Radiesthésie pour Tous,* n° 12, 1949, p. 377-379, Belgique), et contacté, à travers ces articles, d'autres radiesthésistes français intéressés par la momification obtenue par les maquettes de la Pyramide de Chéops.

En tant que radiotechnicien, j'ai dû finalement admettre qu'il y a quelque chose de très étrange dans le phénomène de momification. Il y a, de toute évidence, une certaine concentration d'énergie dans la maquette de pyramide. En "cherchant la nature de cette énergie", je fus encouragé à poursuivre çes "folles expériences". Je plaçai une nouvelle lame de rasoir de bonne qualité (la Gillette Bleue) dans la Pyramide de Chéops en carton. Si le fil s'émoussait, cela me donnerait la preuve physique d'une force concentrée agissant dans la pyramide.

Ainsi commença mon aventure "lame de rasoir". Ma présomption, selon laquelle la lame perdrait son tranchant dans la pyramide, était fausse. C'est le contraire qui se produisit et, après m'être facilement rasé cinquante fois, j'ai bien été forcé de constater que je m'étais trompé !

Ma première expérience fut réalisée avec une pyramide de type Chéops de 15 cm de haut (échelle 1/1 000). La lame était placée horizontalement, son axe longitudinal étant orienté nord-sud et à un tiers de la hauteur à partir de la base; deux côtés de la pyramide étaient orientés de la même manière.

A travers de nombreuses expériences, j'ai trouvé qu'il suffisait d'utiliser une pyramide en carton de 8 cm de haut, ou une pyramide en styrène de 7 cm de haut. Des années plus tard, cette maquette en styrène a été fabriquée par une usine de matières plastiques, mais seules quelques centaines de pièces ont été fabriquées. Bien que je ne sache pas le motif de cette décision, la production a été ensuite arrêtée. J'imagine très bien qu'une grande marque de lames de rasoir a pu persuader l'usine de plastiques d'interrompre la fabrication de l'article.

Il est bien sûr très facile, pour quiconque le désire, de fabriquer cette petite pyramide. Il m'est difficile de deviner le nombre de pyramides de fabrication artisanale existant en U.R.S.S., mais je peux certifier que, sur les milliers et les milliers d'utilisateurs qui m'ont écrit à ce sujet, aucun ne s'est plaint et, au contraire, beaucoup m'ont dit leur enthousiasme.

Dans la pyramide, le fil de la lame est une "entité vivante" en contact avec l'environnement. Souvent, après avoir obtenu un mauvais rasage, j'avais le lendemain la surprise d'obtenir un excellent rasage avec la même lame.

Pour juger de la qualité de l'aiguisage de la lame, j'ai introduit une échelle à six degrés : n°6 = excellent, n°5 = très bien, n°4 = bien, n°3 = suffisant, n°2 = passable, n°1 = insuffisant. Durant les premiers cinq ans et trois mois de mes expériences (du 3 mars 1949 au 6 juillet 1954), la valeur moyenne d'une lame était de 105 rasages quotidiens (en utilisant uniquement dix-huit lames de marques différentes) et j'ai terminé avec 200, 170, 165, 111 et 100 rasages avec une seule lame. En vingt-cinq ans, j'ai utilisé un total de soixante-six lames.

J'ai entretenu une correspondance au sujet de cet étrange brevet avec des expérimentateurs de plusieurs pays d'Europe, et également des Etats-Unis, d'Amérique du Sud, d'Australie, de Nouvelle-Zélande et d'Islande ! Des chercheurs soviétiques m'ont également manifesté un grand intérêt. Par exemple, dans la *Komsomolskaja Pravda* du 10 octobre 1970 (repris par le journal moscovite *Heureka* en 1973), M. Malinov a écrit un intéressant article sur ce qu'il appelle lui-même une "étrange invention". En tant que physicien, M. Malinov fournit une explication logique au fonctionnement de la pyramide, à partir de la théorie électromagnétique combinée avec le champ magnétique terrestre et avec les "forces de Lorentz". J'ai également appris que ma petite pyramide est d'usage courant en U.R.S.S.

En conclusion, je souhaite à tous ceux qui utilisent ou vont utiliser cette invention deux cents rasages ou plus avec la même lame !

9

L'énergie de la pyramide à votre service : ou comment se transformer soi-même

En 1968, a vu le jour un projet de recherches pour essayer de découvrir une fois pour toutes s'il y a ou non des chambres secrètes dans les pyramides d'Egypte.

Le docteur Luis Alvarez, qui en a pris la direction, a spécialement conçu et réalisé un instrument capable d'enregistrer les rayons cosmiques passant à travers la maçonnerie de la pyramide. L'idée de cet instrument lui est venue en lisant *The Great Pyramid in Fact and Theory*, où l'auteur, William Kingsland, préconise l'émission d'ondes radio sur une longueur de cinq mètres et l'enregistrement de la force de l'onde émise de la Chambre du Roi vers la surface externe de la

Pyramide de Chéops. Kingsland postule que cette méthode révélera s'il existe une chambre cachée.

Alvarez émit par la suite l'hypothèse selon laquelle les rayons cosmiques qui bombardent notre planète vingt-quatre heures par jour accusent une perte d'énergie proportionnelle à la densité et à l'épaisseur des objets qu'ils traversent. Il a donc construit son instrument en conséquence.

Plutôt que de suivre la suggestion de Kingsland pour essayer de découvrir une chambre secrète dans la Pyramide de Chéops, Alvarez a choisi la Pyramide de Khephren parce qu'il semble plus vraisemblable qu'elle contienne un passage secret, et parce que l'on pense que sa construction est postérieure à celle de Chéops. Son architecture intérieure doit donc être plus sophistiquée.

Après avoir conçu son dispositif, Alvarez a rassemblé une équipe de scientifiques venus de la République Arabe Unie et des Etats-Unis (et notamment de la Commission américaine à l'Energie atomique). Ces chercheurs ont obtenu l'aide financière et technique nécessaire à l'exécution de cet ambitieux projet.

En septembre 1968, l'équipage a enregistré des millions de trajectoires de rayons cosmiques sur des bandes magnétiques spécialement conçues pour être lues par des ordinateurs. Les bandes ont été d'abord analysées par un ordinateur au Caire. Les résultats ont clairement indiqué l'emplacement des côtés et des angles de la pyramide, mais aucune chambre cachée ne se trouvait dans le champ conique de 35 degrés des rayons qui furent enregistrés dans la chambre centrale.

Par la suite, on a réalisé des analyses supplémentaires, plus précises, de la bande et de ses millions d'éléments d'information. Selon le Dr Amr Goneid, chef du groupe du Caire, chaque fois que la bande était analysée à nouveau par un ordinateur IBM 1130 à l'Université Ein-Shams du Caire, le schéma était différent, avec une absence notoire de traits dominants.

Un double des bandes d'ordinateurs a été apporté aux États-Unis par l'assistant du Dr Alvarez, le Dr Laurin Yazolino. Elles ont été analysées à Berkeley en Californie, par un ordinateur extrêmement perfectionné qui donnait constamment les mêmes résultats, analyse après analyse.

Le Dr Goneid admet que les écarts de résultats obtenus par l'ordinateur du Caire sont scientifiquement impossibles et affirme que soit une erreur substantielle dans la géométrie de la pyramide affecte les enregistrements, soit quelque force mystérieuse, défiant les lois de la science, est à l'œuvre dans la pyramide.

L'idée selon laquelle il y aurait quelque énergie inexplicable ou inconnue, particulière à la forme pyramidale, n'est pas nouvelle. En fait, l'affirmation fondamentale du Papyrus d'Ani (voir chapitre 7) est que le dieu qui dort dans l'âme de chacun est réveillé par le pouvoir ou l'énergie de la pyramide.

Même si les mystiques du vingtième siècle ne croient pas nécessairement que la forme pyramidale peut réveiller des dieux assoupis, nombre d'entre eux sentent qu'ils peuvent stimuler et accroître leurs pouvoirs psychiques en utilisant, comme lieu de méditation, une pyramide de leur propre fabrication. Les parapsychologues qui utilisent les pyramides de cette manière ont apparemment atteint un état de conscience altérée plus rapidement qu'ils ne l'auraient fait autrement. Ils prétendent que les pouvoirs de la pyramide fonctionnent le mieux quand ils se placent eux-mêmes sous le sommet de la pyramide, dans la position assise ou couchés sur le ventre.

Les résultats de ces parapsychologues varient considérablement de l'un à l'autre. Certains rapportent qu'ils ont reçu des réponses, ou des visions, ou les deux, à un ensemble particulier de questions ou de problèmes. D'autres prétendent que pendant la séance de pyramide, ils ne sentent rien d'autre qu'une grande sérénité et une fusion avec les forces cosmiques ; c'est seulement *après* que les impressions spirituelles et psychiques émergent de leur conscience. De nombreux parapsychologues croient qu'il existe de puissantes forces énergétiques à l'intérieur de la pyramide et que, au cours des séances de méditation, elles éclairent des processus psychiques qui ont pu être bloqués.

Le Laboratoire E.S.P. de Los Angeles mène des expériences dans lesquelles la forme pyramidale est en fait utilisée comme incubateur de formes-pensées. Le directeur de cet organisme, Al Manning, explique que la forme pyramidale fonctionne comme un amplificateur géométrique qui accroît le pouvoir de la prière ou renforce la quête spirituelle.

La technique est assez simple, mais nécessite un entraînement assez poussé. La première étape consiste à se procurer une petite pyramide en carton dont l'emballage est constitué de feuilles de papier triangulaires. Ces feuilles sont de quatre couleurs : bleu pour la guérison, vert pour l'amour, orange pour la clarté mentale et jaune pour l'intuition.

L'expérimentateur choisit alors le triangle coloré le plus adéquat à son besoin et écrit sur cette feuille l'énoncé d'un désir particulier ou d'un problème spécifique. Par exemple, pour hâter la guérison d'un os cassé, vous écrivez votre demande sur un morceau de papier bleu; si vous voulez régler une querelle d'amoureux, vous choisissez alors une feuille verte.

La demande doit être formulée le plus complètement et le plus précisément possible.

L'expérimentateur tient alors le papier entre ses mains en psalmodiant une incantation spécifique que lui a fourni le laboratoire, et cela par deux fois. Le sommet du triangle est alors replié vers la base et le bas replié vers le haut de telle sorte que le papier soit finalement plié en trois parties égales. Le triangle plié est ensuite placé sur la base de la pyramide, la base étant orientée selon un axe nord-sud. Les paumes des mains sont alors placées au-dessus du papier coloré et l'incantation est répétée à nouveau. La structure pyramidale est alors alignée sur sa base. La période d'incubation de la forme-pensée a commencé.

Il faut apparemment de trois à neuf jours pour que la forme-pensée achève sa "période de gestation". Pendant ce temps, le processus est encouragé par des incantations, et la forme-pensée est nourrie par une concentration mentale en sa direction, à travers la face nord de la pyramide, et ce une fois par jour.

Quand l'expérimentateur sent que la forme-pensée a suffisamment incubé, il enlève la pyramide de sa base et ramasse le papier sur lequel la forme-pensée est inscrite. Le papier est alors déplié. On saisit alors un coin inférieur du papier et l'on enflamme le triangle. Une fois que la flamme a complètement dévoré le papier, les cendres sont jetées dans un réceptacle ignifugé que l'on a gardé en main pendant les opérations.

Aussi étrange et compliqué qu'apparaisse ce procédé, des quatre coins du monde on rapporte que les pyramides ont procuré ainsi de nouveaux emplois ou de nouvelles possibilités financières (argent et bijoux), entre autres. Ceux qui croient que leurs prières ont été exaucées ne s'en plaignent pas.

Le Laboratoire E.S.P. a construit à son quartier général de Los Angeles, deux pyramides à l'échelle humaine (un mètre quatre-vingt et deux mètres quarante de haut). La forme pyramidale aurait de nombreux centres énergétiques, nommés *chakras*, qui ressembleraient aux centres du corps humain. La pyramide aurait aussi le même rapport au corps humain que le mi bémol (la pyramide) à l'ut (le corps)

L'action du feu permet à la forme-pensée de se libérer. Il ne reste plus qu'à attendre la satisfaction de sa demande.

Plus de 80 p. 100 des participants aux expériences prétendent qu'ils peuvent déterminer avec précision les centres d'énergie des pyramides. Presque tous ont remarqué que l'énergie était de plus haute fréquence dans les parties supérieures des deux pyramides, celle d'un mètre quatre-vingts et celle de deux mètres quarante. On trouve la même proportion de gens ayant noté une sensation de douce chaleur et d'apaisement dans les parties inférieures de la pyramide.

Ils ont fait une autre observation intéressante : en levant les mains vers le sommet, ils ressentent comme un picotement.

Ils rapportent également que certains endroits de la pyramide ne sont pas bénéfiques. Par exemple, des individus qui se sont tenus debout ou assis à un

178

endroit particulier de la pyramide ont très vite ressenti des maux de tête.

On présume qu'à l'intérieur de la pyramide, les énergies les plus bénéfiques sont concentrées dans ce que l'on appelle le cœur. C'est ce lieu qui est probablement le plus "sûr" pour l'incubation des formes-pensées. On a cependant suggéré que les incubations des différentes formes-pensées pourraient se faire dans différents endroits de la pyramide pour permettre à la personne qui s'y trouve de recevoir l'énergie la plus adéquate à l'accomplissement d'une forme-pensée spécifique.

Le directeur Al Manning dit : «... cette partie de notre projet promet beaucoup, mais nous devons attendre une expérimentation plus approfondie avant de pouvoir faire des commentaires sur sa valeur pratique. »

Au cours d'une autre expérience, Manning a invité un producteur de télévision, dont le nom n'est pas mentionné, et David Saint-Clair, auteur du *Pyschic World of California*, à passer environ douze minutes dans la pyramide d'un mètre quatre-vingts. Les trois hommes sont restés debout et, après avoir bavardé, sont sortis. Au moment où ils ont quitté la pyramide, tant le producteur que Saint-Clair ont remarqué qu'ils se sentaient légèrement "cotonneux". Le lendemain, Saint-Clair téléphona à Manning et lui dit que lorsqu'il était rentré chez lui, il avait dû annuler un cocktail parce qu'il était trop endormi pour y assister. Il raconte qu'il s'est endormi vers 18 h 30 et qu'il s'est réveillé dans une forme fantastique. «Cette pyramide, dit-il, a vraiment nettoyé mon aura. »

Le Laboratoire E.S.P. prétend qu'il a également obtenu d'excellents résultats en utilisant la pyramide contre les maux de tête du type migraine.

On a beaucoup glosé sur ces propriétés thérapeutiques des pyramides. L'une des théories en présence explique que la pyramide concentre et intensifie des énergies non identifiables, au point de rendre la guérison possible. Une autre, que l'atmosphère de la pyramide stimule une accélération de l'action enzymatique, ce qui expliquerait l'effet de momification, de préservation, et peut-être même l'intensité de la méditation. Cette explication a conduit un médecin à penser que la pyramide pourrait être utile au traitement d'un œdème incurable et qu'elle pourrait peut-être même aider à la régénération de l'organe. De là à imaginer que, dans un futur proche, les hôpitaux stockeront les organes vitaux destinés aux transplantations dans des récipients de forme pyramidale, il n'y a qu'un pas.

La pyramide pourrait aussi servir à la guérison ou au soulagement de l'arthrite ou des rhumatismes. Placer la main juste sous le sommet d'une pyramide miniature, avec la paume tournée soit vers le haut, soit vers le bas. En quelques secondes, on ressentira une sensation de chatouillement provoquée par un puissant tourbillon d'énergies se déplaçant en spirale dans la pyramide. Pour "charger complètement" la main, il faut que la lévitation de l'extrémité se fasse à l'intérieur de la pyramide. Après sept minutes environ passées à l'intérieur de la pyramide, la main est censée commencer à osciller de son propre chef. La main est alors complètement chargée et doit être retirée de la pyramide. Il est possible qu'au cours du processus de lévitation, la main ait monté d'un tiers de la hauteur, c'est-à-dire à l'endroit où agissent les charges de guérison.

De nombreuses personnes ont récemment acquis des tentes pyramidales qu'elles utilisent pour la méditation. Ces gens prétendent avoir expérimenté une série de sensations allant du calme plat à l'euphorie. Le syndrome le plus courant semble commencer par une relaxation du corps, continuer par le rejet de stimuli extérieurs gênants et de pensées incongrues, et s'achever par un stade final de conscience altérée qui permet à l'individu de se concentrer sur des niveaux intérieurs plus profonds.

La plupart des gens qui utilisent régulièrement les pyramides de méditation racontent comment ils se sont ainsi débarrassés de leurs soucis et de leur tension. D'autres prétendent avoir atteint une charge accrue d'énergie psychique, amélioré leur mémoire, vu des incarnations du passé, des visions, des rêves, des couleurs, des formes, des symboles d'une beauté indescriptible, ou de la musique "issue des sphères". D'autres encore rapportent avoir entendu le son d'*om* (ahm), mantra du "Je" universel. Des rapports font état d'expériences de précognition, de voyages inter-planétaires, de communications télépathiques, de réponses à des prières et, par-dessus tout, de la revitalisation de tout l'être. Etant donné que ces assertions n'ont pas été enregistrées sous contrôle, on ne peut les considérer que comme des ouï-dires. Cependant, il doit être possible d'utiliser la technologie d'enregistrement des ondes du cerveau pour confirmer ou réfuter quelques-unes au moins de ces supputations métaphysiques.

Ceux qui pratiquent la méditation pyramidale disent que les meilleurs résultats sont obtenus en position assise droite, les *chakras* supérieurs (centres de forces contenant de l'énergie) étant situés à environ un tiers de la hauteur à partir de la base de la pyramide, directement sous le sommet.

La pyramide possède encore une autre énergie mystérieuse, celle de la conversation. Dans *La Pyramide de Chéops a-t-elle livré son secret ?*, Ferrand Ibek dit que la forme de la Pyramide de Chéops a favorisé le processus de momification à l'intérieur de la Chambre du Roi, où le corps se déshydraterait pratiquement sans aucun signe de pourrissement.

Les anciens Egyptiens préparaient un corps pour la momification en retirant les viscères par l'anus. On enlevait la cervelle par quelque procédé d'aspiration à travers les fosses nasales. Cela évitait tout dommage à l'enveloppe corporelle et permettait donc à l'esprit de retourner dans un réceptacle intact. Selon les égyptologues, le corps aurait été ensuite trempé pendant un mois dans un mélange de saumure. Des tampons, généralement parfumés à l'oignon, étaient placés dans les oreilles, dans les narines et dans les autres orifices. Le corps entier était alors enveloppé dans un linge en préparation de l'inhumation dans le sarcophage.

Pour autant qu'on puisse le déterminer, les rites de momification n'étaient d'abord appliqués qu'aux pharaons. Puis, la noblesse s'est également fait momifier. Finalement, ce fut une pratique assez répandue et les conditions requises étaient si floues que quiconque pouvait se permettre de payer ce procédé pouvait y prétendre. La vogue en était devenue si grande qu'à une époque, même les animaux étaient momifiés.

Le processus de momification est interprété par les

égyptologues comme signifiant la capacité de *Ka*, par laquelle l'âme du défunt regagne l'entrée de cette terre. Si l'on accepte cette hypothèse, il devient évident que la momification était nécessaire à la préservation la plus complète possible de l'enveloppe corporelle du pharaon pour que son âme puisse revenir correctement.

Cependant, une interprétation opposée mais tout aussi vraisemblable peut être appliquée au processus de momification. Selon de nombreux mystiques, le processus de momification est en fait une mesure préventive efficace *contre* la réincarnation. Cela semble plausible une fois que l'on a compris que la réincarnation était considérée comme indispensable aux âmes imparfaites. Par exemple, un adepte n'ayant réussi à passer aucun rite d'initiation devait revenir sur terre plutôt que de continuer vers la vie éternelle. Dans ce contexte, il était naturel que le pharaon, considéré comme « celui qui est parfait », eût un corps momifié.

Manly P. Hall propose encore une autre théorie : le corps de l'adepte était momifié à seule fin de servir de talisman pour indiquer que l'esprit avait eu une existence terrestre. La momification du pharaon en ferait alors un médium à travers lequel ses survivants pourraient communiquer avec lui.

On peut trouver un parallèle intéressant à cette théorie du talisman dans un rituel péruvien qui voulait que la population se rassemble sur le terrain sacré de Cuzco pour assister, lors des jours très saints, au déploiement des momies des anciens empereurs des civilisations incas. Cet étalage des momies renforçait la croyance des masses quant au pouvoir de la classe dirigeante. Même aujourd'hui, dans de nombreux pays du monde entier, les églises catholique et orthodoxe exposent, les jours saints ou les jours de fête du saint, des reliques momifiées des saints.

Il est intéressant de noter que vers la fin du XVIIIe siècle et vers le début du XIXe, la chair de momie était utilisée comme médicament. Cette chair était prise par erreur pour un médicament nommé *pitch* ou *moma perse*, qui cicatrisait les coupures légères et les bleus. On trouvait de la chair de momie dans les stocks de la plupart des pharmacies européennes, et on croyait profondément qu'elle avait la propriété de souder immédiatement les os fracturés et d'être bénéfique dans tous les cas de désordre interne.

Il semble que M. Bovis, qui visita la pyramide dans les années 1900, ait été le premier à découvrir que la Grande Pyramide a le pouvoir de favoriser le processus de momification. Dans *Psychic Discoveries Behind the Iron Curtain* [1], Sheila Ostrander et Lynn Schroeder prétendent que des savants tchécoslovaques leur ont dit que Bovis a trouvé, en se promenant dans la Chambre du Roi, des chats et d'autres petits animaux qui semblaient bien conservés et qui s'étaient apparemment égarés dans la pyramide où ils étaient morts de faim. Bovis pensait que la forme pyramidale était à l'origine de l'état déshydraté de ces animaux qui ne montraient aucun signe de pourrissement. A son retour d'Egypte, il décida de construire une maquette de la pyramide avec une base d'environ un mètre carré. Etant donné que la Chambre du Roi est située à environ un tiers de la hauteur de la pyramide en partant de la base, il a fait

_____

1. "Découvertes parapsychiques derrière le rideau de fer".

184

des expériences en plaçant des spécimens (chats morts) à un tiers de la hauteur de la base au sommet. Ses expériences furent apparemment convaincantes puisqu'il en conclut qu'il y avait quelque chose dans la forme de la pyramide qui empêchait le pourrissement et provoquait une momification rapide.

Ostrander et Schroeder traitent ensuite des énergies de déshydratation de la pyramide dans leur chapitre intitulé «Le Pouvoir des pyramides et l'énigme des lames de rasoir», où ils reproduisent un tableau montrant les degrés de déshydratation de différents objets. Ce tableau a été établi par un certain Jean Martial, et donne quelque crédibilité scientifique à l'expérience de la pyramide. Cependant, les auteurs n'indiquent pas la source de ce tableau de Martial, et la seule référence qu'ils citent à propos de l'expérience de Bovis est un article de magazine populaire tchécoslovaque — qu'il est difficile de tenir pour une source d'une scientificité irréprochable.

Les récits des expériences de Bovis sont devenus très populaires et ont fait leur apparition dans de nombreux articles de journaux et de revues. Pour notre part, nous avons donné dans notre chapitre 8 la version originale de ces récits.

La pyramide détient une autre propriété inexplicable : toutes les chambres des pyramides construites à partir des Cinquième et Sixième Dynasties possèdent des peintures murales. Quelle source de lumière fut utilisée pour éclairer ces chambres sans fenêtres, étant donné que l'absence totale de carbone indique que l'on n'a pas employé de torches ?

Quant à la capacité de la pyramide d'agir comme un accumulateur d'énergie statique, la chose est plus facile à démontrer.

185

Dans les *Secrets de la Grande Pyramide*, Peter Tompkins relate que Sir W. Siemans, un chercheur britannique, étant debout sur le sommet de la Grande Pyramide, entendait le timbre d'une sonnerie chaque fois qu'il levait les mains en écartant les doigts. Et quand il ne levait qu'un seul doigt, et plus particulièrement l'index, il éprouvait une sensation irritante de picotement. (Il est intéressant de rappeler que de semblables sensations de picotement ont été décrites par de nombreux participants aux expériences du Laboratoire E.S.P.)

Siemans a également noté qu'en buvant à la bouteille le vin qu'il avait apporté avec lui, il ressentait un léger choc au moment où la bouteille touchait ses lèvres. Cet influx électrique intriguait tant Siemans qu'il prit un journal humide et l'enroula autour de la bouteille, confectionnant ainsi un accumulateur électrique rudimentaire appelé "bouteille de Leyde".

Cette bouteille étant placée bien au-dessus de la tête, elle accumulait tant d'énergie statique que des étincelles commençaient à s'en échapper. Accidentellement, Siemans a touché l'un des guides avec la bouteille ainsi chargée. Le guide a reçu un choc épouvantable, semblable à ceux des aiguillons à bestiaux, si fort qu'il en est tombé. Terrifié, il s'est enfui en dévalant le flanc de la pyramide.

Ce récit (qui demeure sans confirmation puisque Tompkins ne donne pas ses sources) rappelle quelque peu l'histoire biblique (Exode, chap. 26 et 27, Samuel, II, chap. 6) de l'Arche de l'Alliance que Moïse construisit avec l'aide du peuple d'Israël. Aujourd'hui, de nombreux chercheurs croient que l'Arche était en fait une bouteille de Leyde dans laquelle l'accumu-

186

lation électrique était si grande que la charge produite suffisait pour tuer une personne cardiaque. Ce qui expliquerait la mort d'Uzzah qui toucha l'Arche.

Selon quelques physiciens, la pyramide ne serait pas seulement un accumulateur d'énergies, mais aussi un transformateur de ces énergies. Nous savons que tout objet dans lequel vibre une énergie a la capacité d'agir comme une cavité résonante. Nous savons aussi que l'énergie est concentrée en un certain point de l'objet, qu'il soit creux ou plein. Nous pouvons donc supposer que la pyramide peut agir comme une énorme cavité résonante capable d'accumuler les énergies du cosmos comme une loupe géante. Cette énergie concentrée affecterait les molécules ou les cristaux de tout objet situé sur la trajectoire du rayon d'énergie concentrée. Certains l'assimilent à un rayon invisible, avec une différence de fréquence et de force d'attaque.

Nous trouvons particulièrement intéressant le fait qu'il n'y ait jusqu'à présent que très peu de récits relatant des effets négatifs de la pyramide. A la différence de presque tous les autres accessoires d'occultisme, tels que oui-ja et pendules, la pyramide semble avoir des pouvoirs qui sont presque toujours bénéfiques ou neutres. Bien sûr, quelques mystiques se plaignent de recevoir « *trop* d'énergie » si le temps de méditation à l'intérieur de la pyramide est trop long. Mais on peut objecter à cela que la faute incombe à l'utilisateur et non pas à la pyramide elle-même.

Seuls les expérimentateurs du Laboratoire E.S.P. nous rapportent des effets négatifs : des maux de tête.

Les énergies de la pyramide sont inexplicables, mais certaines d'entre elles sont très certainement mesurables. A l'aide de la radiesthésie ou des baguettes de sourciers, on a montré l'existence d'un tourbillon hélicoïdal émanant du sommet de la pyramide et dont le diamètre s'élargit au fur et à mesure qu'il s'élève. En utilisant des petites pyramides en carton de dix centimètres de haut seulement, des radiesthésistes ont démontré que ce tourbillon peut atteindre un diamètre de près de quinze centimètres. On prend trois boîtes de carton. Une pyramide miniature est placée sous l'une d'entre elles. Le radiesthésiste ne sachant pas quelle boîte contient la pyramide, les teste avec sa baguette qui ne réagit qu'au-dessus de la boîte qui contient la pyramide.

Bien que l'actrice de cinéma Gloria Swanson ne prétende pas avoir été guérie ou soignée par l'énergie de la pyramide, elle a déclaré, dans *Times Magazine* (8 octobre 1973), que le sommeil avec une pyramide miniature sous son lit lui donnait «des picotements dans toutes les cellules de son corps».

James Coburn, autre star de Hollywood et partisan de la pyramide, aurait déclaré, d'après le *National Enquirer* du 13 janvier 1974 : «Je crois fermement dans le pouvoir de la pyramide. Je m'introduis en rampant dans ma tente pyramidale, je m'assois dans une position de yoga, et ça marche ! Cela dégage une sensation particulière. Cela crée une atmosphère... qui facilite la méditation. Cela élimine toute interférence. J'y médite tous les jours, de quinze minutes à une heure. »

Les tentes pyramidales sont actuellement utilisées pour des activités allant du sommeil à l'exercice rigoureux. Quelques personnes prétendent avoir atteint des niveaux de méditation supérieurs et plus profonds en séjournant à l'intérieur de la pyramide.

D'autres personnes, qui ont dormi dans les pyramides, affirment qu'elles ne peuvent le faire plus de trois nuits de suite parce qu'elles sont si "chargées" qu'elles ne peuvent faire face aux effets dynamo. L'énergie ressentie par ces personnes est si grande qu'on *ne peut pas* l'expliquer en l'attribuant à l'effet placebo, phénomène par lequel un individu répond, non pas à un événement ou à un stimulus réels, mais à la suggestion d'un tel événement ou d'un tel stimulus.

L'homme qui est à l'origine de l'intérêt phénoménal suscité par les pyramides miniatures, Karl Drbal, aurait pu ainsi inaugurer un nouvel engouement : *les chapeaux pyramidaux.* Drbal s'est demandé pourquoi les chapeaux traditionnels des sorciers et des sorcières étaient toujours décrits comme étant de forme conique. Il a donc procédé à quelques expériences avec des chapeaux de forme pyramidale. Un chercheur new-yorkais affirme qu'après avoir porté un chapeau pyramidal pendant un court laps de temps, il a ressenti un énorme flux d'énergie descendant en spirales à travers le sommet du chapeau. « Apparemment, dit-il, la pyramide fonctionnne comme une sorte d'antenne cosmique captant des sources d'énergies et les concentrant ensuite dans son centre. »

D'autres prétendent que ces chapeaux pyramidaux soulagent vraiment les maux de tête.

C'est une longue histoire que celle de l'utilisation religieuse et mystique de ces chapeaux. Selon un parapsychologue, on en retrouve la trace jusqu'aux prêtres égyptiens, qui portaient des chapeaux pyramidaux quand ils essayaient d'entrer en contact avec le dieu Soleil Rê. On a émis l'hypothèse selon laquelle ces chapeaux concentreraient en fait l'énergie électromagnétique du soleil ou de quelque effet métaphysique supérieur. Si ce raisonnement est juste, les porteurs de ces chapeaux étaient détenteurs d'énergies particulières et, par conséquent, étaient naturellement craints et respectés des masses.

Dans *Rivers of Life*, J. Forlong affirme également que les chapeaux coniques étaient originellement liés au culte du Soleil. Par la suite, ils ont servi à indiquer un statut professionnel, non seulement pour les sorciers, mais aussi pour les prêtres et les rois. Ces chapeaux étaient toujours décorés pour permettre l'identification précise de la secte et du rang (de noblesse) du porteur. Forlong note que le chapeau des simples prêtres était un cône aux dimensions très importantes.

Ce que l'on appelle "bonnet d'âne", à la forme traditionnellement conique, était à l'origine utilisé comme un dispositif fonctionnel pour « remettre une personne en accord avec son centre fondamental ». Les enfants qui se conduisent mal le font parce qu'ils ont « perdu leur centre d'équilibre ». En s'asseyant dans un coin, en portant un chapeau conique, ils vont être "remis". Remarquez que l'enfant se place généralement avec le visage dans le coin, de manière à ne pas être distrait par l'activité de la classe. Toute son énergie doit être plus concentrée sur lui-même.

Un médium de New York n'a apparemment pas besoin d'un chapeau conique pour recevoir les énergies de la forme géométrique. Dans *Seth Materials,* Jane Roberts écrit que, sous certaines conditions, « j'ai eu la sensation qu'un cône descendait juste au-dessus de ma tête. Je ne pensais pas qu'il y avait un véritable cône physique, mais l'idée de la forme était précise. La base avait à peu près la taille de ma tête, et le sommet était *comme une pyramide* ».

Dans ce chapitre, nous nous sommes essentiellement attachés aux aspects métaphysiques de l'expérimentation de la pyramide. Dans les chapitres suivants, nous aborderons quelques aspects plus pragmatiques et nous ferons quelques suggestions pour permettre à chacun de mener à bien ses propres expériences.

10

Recherches sur la pyramide

Une équipée chargée de rassembler les données concernant la pyramide a été créée à Washington D.C. vers la fin 1973, par la Mankind Research Unlimited, Inc.

Le Dr Boris Vern, directeur de ce projet de recherche sur la pyramide, a dirigé des expériences pilotes utilisant des pyramides en plastique de 25,5 centimètres de haut et des cubes en plastique d'un volume égal. Ces expériences ont donné les résultats suivants : des œufs frais placés sur des assiettes et mis sous des pyramides ont durci et séché en moins de trois semaines. Différentes moisissures placées sur ces œufs ne se sont pas développées. A l'opposé, les œufs de contrôle sont restés humides et ont constitué un terrain favorable au développement de la moisissure. Ces œufs de contrôle semblent subir certaines altérations quand on les place sous la pyramide après avoir été exposés pendant deux semaines à l'espace de contrôle.

Dans une lettre qu'il nous a adressée, le Dr Vern écrit : « Travaillant sur l'hypothèse que l'effet de déshydratation peut être dû à une variation de l'évaporation de l'eau et peut-être aussi à la différence des papiers buvards (utilisés comme matériau de base), on a procédé comme suit :

« Une quantité d'eau d'un poids déterminé est placée sous chaque pyramide dans une assiette en plastique. Les taux d'évaporation sont calculés par des pesées quotidiennes. Ce procédé a été réalisé selon trois techniques : 1) papier buvard, 2) feuille d'aluminium, 3) structures élevées à 4 mm au-dessus du niveau de la table pour permettre une libre circulation d'air. La lumière et la température sont les mêmes dans les trois cas.

« Je joins trois graphiques (figures 26, 27 et 28) montrant les taux d'évaporation correspondant aux trois cas. On peut voir que, dans les figures 26 et 27, les taux sont plus rapides sous des pyramides que sous des cubes ; cependant, les taux deviennent identiques dans la figure 28. Les courants d'air ont pu jouer un rôle. Pour contrôler cette variable supplémentaire, nous scellerons les bases avec du plastique. »

Le Dr Vern ajoute : « L'indigence des résultats ne permet pas, pour le moment, l'analyse statistique, qui nécessite des tests répétés.

Des chercheurs ont démontré de manière probante que les objets placés à l'intérieur des formes pyramidales sont travaillés pas des propriétés inhabituelles.

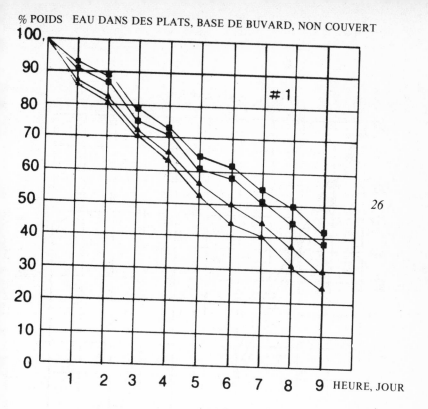

% POIDS EAU DANS DES PLATS, BASE DE BUVARD, NON COUVERT

#1

26

HEURE, JOUR

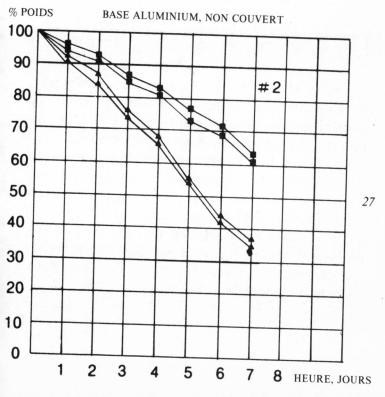

% POIDS   BASE ALUMINIUM, NON COUVERT

#2

27

HEURE, JOURS

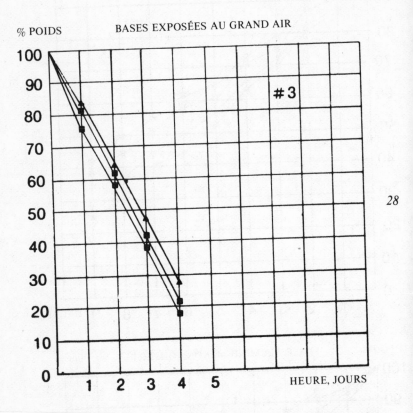

% POIDS

#3

HEURE, JOURS

28

Ces propriétés sont indépendantes de variables physiques connues parce que les variables physiques ne pourraient pas, par elles-mêmes, reproduire les propriétés. Les expérimentateurs se trouvent par conséquent en face d'un phénomène physique étranger aux concepts de la physique et de la chimie, un phénomène qui, comme on peut le penser, est un produit de forces physiques, mais qui ne peut pas être expliqué par des propriétés ou des théories physiques connues. Il semble sûrement plus sage de poursuivre une démarche empirique plutôt que d'accepter aveuglément les postulats de la physique.

Un ancien chercheur de Californie, le vieux Verne Cameron, a mené quelques expériences impressionnantes sur les pouvoirs de conservation de la pyramide.

Ayant construit une petite pyramide, il se procura environ soixante grammes de porc cru, dont la moitié de graisse. Après avoir placé le porc dans la pyramide, il mit la pyramide dans sa salle de bains. Cameron avait délibérément choisi la pièce la plus chaude et la plus humide de la maison — la seule pièce sujette à de très grandes variations de température et d'humidité. L'atmosphère d'une salle de bains n'est pas particulièrement propice à la conservation de la nourriture.

Au bout de trois jours, Cameron remarqua qu'une faible odeur émanait du porc, apparemment les premiers signes de pourrissement. Mais, six jours plus tard, l'odeur avait disparu et le morceau de porc était complètement momifié. Plus étonnant encore, après plusieurs mois, le porc était parfaitement comestible !

Au cours d'une autre expérience, Cameron a placé un grand morceau de pastèque dans la pyramide, et à nouveau mis le tout dans sa salle de bains. En quelques jours, la pastèque s'était desséchée, au point qu'elle avait la taille d'un abricot. Mais, elle aussi était parfaitement comestible. Cameron dit qu' «elle était encore douce et bonne».

Cameron s'est naturellement demandé ce qui provoquait ces phénomènes sortant de l'ordinaire. Il utilisa à cet effet un "auramètre", instrument qu'il avait inventé et qui mesurait le champ de force de l'aura d'un objet. Il affirme avoir mesuré une colonne d'énergie s'étendant du sommet de la pyramide au plafond. Il prétend qu'une fois la pyramide enlevée de l'endroit où elle était placée, la charge demeura intacte pendant plusieurs jours ou même plusieurs semaines.

Le temps nécessaire à la déshydratation varie selon la taille physique et le degré d'humidité du spécimen utilisé. On peut faire des inspections périodiques au cours du processus de déshydratation. Il faut faire attention à ne pas endommager le spécimen pendant l'inspection ; il faut le replacer exactement dans sa position antérieure. Une fois la déshydratation réalisée, on peut enlever l'objet de la pyramide et le présenter.

Pour faire l'expérience avec du lait, ou tout autre fluide, placer le liquide sur un petit plat peu profond et non métallique. Placer un plat de contrôle à l'extérieur de la pyramide avec la même quantité de lait. Au bout de quelques jours, le lait va devenir amer dans les deux récipients, mais celui de la pyramide n'aura pas caillé.

Plus l'humidité est importante, plus le spécimen rétrécit en se déformant, comme c'est le cas pour les jonquilles qui ont une haute teneur en eau et des fibres à grande contenance et se déshydratent presque parfaitement à l'intérieur des pyramides, en ne présentant pratiquement pas de signes de rétrécissement ou de déformation.

Pour que l'expérience soit significative, employez les procédés de contrôle suivants :

1. Peser le spécimen avant de le placer dans la pyramide ; le peser à nouveau tous les jours, jusqu'au moment où la déshydratation totale est accomplie. Cela permet de déterminer le taux de déshydratation pour un spécimen donné.

2. Prendre d'autres récipients (une boîte en carton, une boîte en métal, une boîte en fer, etc., avec ou sans

couvercles). Chacun de ces récipients doit avoir un volume égal à celui de la pyramide. Dans chacun de ces récipients de contrôle, placer un spécimen aussi identique que possible au spécimen de la pyramide. Ces spécimens doivent également être pesés tous les jours et au même moment que celui de la pyramide. Après la pesée, replacer chaque spécimen exactement dans sa position antérieure.

3. Placer encore un autre spécimen identique sur une surface plane à l'air libre. Il faudra également le peser quotidiennement, en même temps que les autres spécimens.

4. Noter au jour le jour les informations suivantes : composition, dimensions, âge des spécimens au début de l'expérience ; composition, dimensions, forme et volume de chaque récipient. Peser tous les spécimens et contrôler visuellement les signes de décoloration, de fermeté et de pourrissement. Noter dans ce journal toute information pertinente en la datant correctement.

Remarque importante : la plupart des aliments disponibles dans le commerce, tant cuisinés que crus, sont traités avec des conservateurs chimiques qui peuvent affecter le taux de déshydratation, et donc invalider votre expérience. Il est par conséquent plus sage d'utiliser des aliments dépourvus de conservateur ou, pour les fruits et légumes, ceux qui sont cultivés biologiquement.

On peut ensuite expérimenter les variations de déshydratation selon la hauteur utilisée à l'intérieur de la pyramide. Par exemple, vous pouvez vous procurer ou construire plusieurs pyramides identiques et placer à l'intérieur des spécimens identiques, en ne modifiant que la hauteur à laquelle l'objet est placé par rapport à la base. Par exemple, un spécimen peut être placé directement sur la base, un autre au niveau 1/6, et les autres aux niveaux 1/5, 1/4, 1/3 et 1/2. La hauteur du niveau est mesurée à partir de la base, c'est-à-dire que le niveau 1/3 d'une pyramide de 15,24 cm est à 5,08 cm au-dessus de la base.

Dans différents pays d'Europe, comme la Yougoslavie, l'Italie et la France, par exemple, le lait et le yaourt sont actuellement emballés dans des cartons de forme pyramidale. Il semble que ce type d'emballage retarde le processus de dégradation, permettant aux consommateurs de conserver ces produits pendant une période beaucoup plus longue que s'ils avaient été emballés dans des récipients traditionnels.

De même, est-ce pure coïncidence si les fabricants américains ont emballé la crème destinée aux restaurants dans des petits paquets de forme pyramidale ? Ces paquets sont gardés sous les comptoirs toute la journée, sans réfrigération, et ont une durée de conservation inhabituellement longue.

Dans la Russie tsariste, l'armée recevait ses rations de viande dans des récipients pyramidaux précisément conçus dans un but de conservation. Essayez de conserver du riz, des haricots secs, des fruits secs, des épices ou même du sucre, des petits gâteaux, etc., dans des récipients de forme pyramidale. Vous êtes en droit d'attendre une amélioration très nette du goût de ces articles.

On a dit que le café conservé dans une pyramide avait un goût moins amer. Certains prétendent aussi que les cigares, cigarettes et tabac pour la pipe deviennent plus doux si vous les conservez dans une pyramide. De même, la conservation dans une pyramide adoucit le whisky et fait vieillir la bière.

Quant à la conservation des lames de rasoir, placez une lame toute neuve à l'intérieur de votre pyramide. Pour obtenir les meilleurs résultats, posez-la à plat au niveau du premier tiers de la hauteur, avec les bords tranchants situés face à l'axe est-ouest. Laissez cette lame dans la pyramide pendant au moins une semaine entière. Elle peut être alors utilisée pour des rasages quotidiens ou périodiques. Aussi longtemps que la lame est replacée dans la pyramide après chaque rasage, selon la même disposition, elle conservera son tranchant. Pendant les quarante à soixante premiers jours d'utilisation, les qualités de chaque rasage varieront probablement beaucoup. Toutefois, passée cette période, la qualité se stabilisera et devrait normalement rester constante pendant au moins deux cents rasages supplémentaires (voir figure 29).

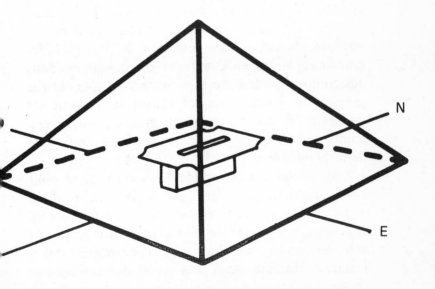

29. Lame de rasoir dans une pyramide.

Depuis 1970, les pouvoirs de la pyramide se sont étendus à des domaines aussi variés que l'horticulture, l'électronique et la biochimie. Certaines des idées qui ont été élaborées sont simples, pratiques et facilement utilisables dans la vie quotidienne.

Les horticulteurs ont découvert que les graines qui étaient mises à l'intérieur d'une pyramide avant d'être plantées germaient plus rapidement et donnaient une plante plus forte et plus vivace que les graines qui n'avaient pas séjourné dans une pyramide. A cet effet, on utilise de plus en plus de grandes serres pyramidales. A noter qu'un viticulteur pourra vous assurer que pour obtenir une bonne récolte de raisins savoureux, il est nécessaire de faire pousser la vigne, ou de la faire grimper, dans une direction nord-sud.

Si vous voulez réaliser vos propres expériences d'horticulture, achetez simplement un paquet de graines. Placez la moitié de vos graines à l'intérieur de la pyramide, selon un axe nord-sud, et laissez les pendant au moins deux semaines. Retirez alors les graines et plantez-les. Plantez le reste des graines dans des conditions identiques ; repérez avec soin chaque groupe de graines. En observant la rapidité de croissance de chaque groupe de graines, vous serez à même de tirer vos propres conclusions sur l'efficacité de la pyramide.

Utilisez aussi la pyramide comme récipient pour l'eau qui arrosera votre jardin de balcon. Cela stimulera leur croissance en agissant à la manière d'un engrais. L'eau conservée à l'intérieur d'une pyramide subit une transformation réelle mais indétectable à l'analyse chimique, qui non seulement améliore la croissance des plantes, mais aide aussi les graines à germer plus rapidement.

Il s'avère également que les boutures placées dans les pyramides prennent beaucoup plus rapidement que dans les conditions habituelles. Le taux d'échec du bouturage sous pyramide est inférieur à celui du bouturage dans l'eau ou dans le sol à l'extérieur de la pyramide. Pour tester l'efficacité de cette méthode, placez simplement une bouture dans un récipient d'eau. Puis placez ce récipient à l'intérieur de la pyramide. La bouture aura développé un système de racines dans un laps de temps plus court que le temps habituel. Vous pouvez alors l'enlever de la pyramide et la mettre en pot immédiatement. L'arroser ensuite avec de l'eau conservée dans la pyramide.

Dans le domaine de l'électronique, des techniciens ont découvert que, lorsqu'ils réglaient un récepteur radio sur ondes courtes et qu'ils faisaient passer l'antenne à travers le sommet d'une maquette de pyramide, puis suspendaient cette pyramide au-dessus d'une autre pyramide, des grésillements inhabituels sortaient des haut-parleurs. En écartant plus ou moins la pyramide suspendue de la pyramide de base, on réduisait le volume des grésillements jusqu'à les rendre inaudibles. Ainsi, avec une pyramide d'aluminium, on peut construire une antenne captant la télévision et la modulation de fréquence. Fixez l'antenne de télévision ou de radio à une pyramide d'aluminium et suspendez le tout au-dessus de la radio ou de la télévision.

Pour construire un pendule, utilisez une bague ou une pièce d'un poids équivalent suspendue à un fil de 25 centimètres de long. L'objet choisi doit être assez lourd et aussi petit que possible. Le mieux est de prendre un roulement à billes. En tenant le pendule dans votre main, suspendez-le à 2,54 centimètres au-dessus du sommet, et à environ 30 centimètres à droite ou à gauche de la pyramide. Commencez à balancer doucement le pendule vers la pyramide. Lorsqu'il s'approche de la pyramide et est situé à environ 15 centimètres du sommet, le pendule va commencer à être inexplicablement empêché d'atteindre ce sommet, même si votre main est directement au-dessus ou juste à côté. Le test suivant consiste à suspendre le poids à environ 6,5 millimètres directement au-dessus du sommet de la pyramide. Essayez de le maintenir immobile. Vous verrez que c'est pratiquement impossible ; selon toute probabilité, le pendule va se balancer ou bouger en suivant une trajectoire circulaire.

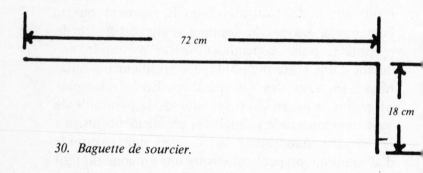

30. Baguette de sourcier.

Pour construire une baguette de sourcier, nous vous conseillons d'utiliser une paire de cintres métalliques et de les redresser. Vous pouvez également utiliser deux tiges métalliques d'au moins 1,6 mm de diamètre et d'environ 90 centimètres de long. Pliez chaque tige à environ 18 centimètres de l'extrémité, en faisant un angle de 90 degrés. Chaque tige devrait avoir maintenant une longueur de 72 centimètres et une poignée de 18 centimètres. Pour manipuler ces

206

baguettes, tenez doucement les poignées dans vos mains, sans les tordre, car cela empêcherait les baguettes de se balancer. Placez vos mains de telle sorte que les baguettes soient parallèles entre elles et dirigées vers l'avant.

Avec vos bras tendus à une hauteur confortable, marchez vers la pyramide de telle sorte que les baguettes encadrent la pyramide *au-dessus* du sommet. Au fur et à mesure que l'extrémité de chaque baguette s'approche du sommet, les baguettes vont commencer soit à se croiser en formant un X, soit à s'écarter l'une de l'autre en se balançant, l'une vers la droite, et l'autre vers la gauche.

On peut déterminer le degré d'énergie dégagée par la pyramide en suspendant le pendule ou les baguettes à des hauteurs croissantes au-dessus du sommet, jusqu'à ce qu'on ne remarque plus aucun effet.

Le diamètre du tourbillon énergétique peut être déterminé en suspendant le pendule ou les baguettes au-dessus et légèrement à côté du sommet de la pyramide. Notez à quelle hauteur et à quelle distance du sommet votre pendule ou vos baguettes réagissent pour la première fois. Soulevez maintenant l'instrument de 2,5 centimètres et écartez-le de la pyramide pour le ramener à votre point de départ. Vous devriez trouver que plus l'instrument est suspendu haut, plus le diamètre de la zone où se ressent l'effet du tourbillon est important.

Bien que les recherches en biochimie utilisant des pyramides soient récentes, on dispose déjà de quelques résultats intéressants. Les cultures, les enzymes et les bactéries semblent se comporter différemment, d'après leurs caractéristiques spécifiques, à l'intérieur et à l'extérieur des pyramides. La moisissure et la rouille ne semblent pas se développer correctement dans un environnement pyramidal.

Cela dit, on peut objecter que de nombreux chercheurs, amateurs ou professionnels, ont obtenu des résultats négatifs avec les pyramides. La chose s'explique du fait que ces expériences ont été réalisées au hasard, avec du matériel inadapté, sans les contrôles nécessaires et dans des conditions défavorables. Il faut donc s'entourer de toutes les garanties et travailler sur ces phénomènes avec le sérieux des méthodes scientifiques.

11

Comment construire une maquette de pyramide

Si vous préférez fabriquer votre propre pyramide plutôt que d'acheter celles qui sont commercialisées, vous avez à votre disposition trois méthodes différentes de construction.

La construction géométrique exacte de la pyramide s'appuie sur des notions mathématiques utilisant deux nombres irrationnels. Les nombres irrationnels sont le résultat de fractions sous forme décimale qui vont jusqu'à l'infini sans répéter aucune suite numérique. Les deux nombres irrationnels sont PI et PHI, où PI (π) = 3,1415... et PHI (Φ) = 1,618... PHI est le nombre d'or de la pyramide, il est déterminé par les proportions de cette pyramide. La base de la pyramide est un carré, et les quatre côtés sont des triangles isocèles. Si nous attribuons la valeur 1 à la moitié de la base du triangle, la hauteur de la pente (apothème) est PHI et la hauteur perpendiculaire du sommet à la base est la racine carrée de PHI. PHI est par conséquent égal à la surface de chaque base. PHI et PI sont liés par l'équation approximative :

$$\pi \simeq \frac{4}{\sqrt{\phi}}$$

Remarquez que chaque face de la pyramide est inclinée vers le sommet avec une pente de 51 degrés, 52 minutes et 10 secondes.

Le choix du matériau semble être très important pour la construction expérimentale d'une maquette de pyramide. Ces matériaux doivent être tout à fait homogènes. Par exemple, du carton compressé et non pas du carton ondulé, du bois solide et non pas du contreplaqué, du styrène et non pas du polystyrène expansé.

Méthode 1

Si votre compétence mécanique est quelque peu limitée et que vous ne disposez pas des outils appropriés, vous pouvez construire une pyramide avec quatre feuilles de carton. A l'aide d'une règle et d'un crayon, tracez un triangle isocèle dont les côtés égaux, C, ont un rapport de 1,05 à 1 avec la base.

Par exemple, si vous désirez construire une pyramide d'environ 20 centimètres de haut, il vous faudra quatre morceaux de carton carrés de 30,5 centimètres de côté. Mettez une règle dans chaque coin et dessinez les lignes là où chaque règle touche l'autre à 29,2 centimètres (voir figure 31).

Une autre méthode consiste à utiliser un compas

avec une ouverture d'au moins 30,5 centimètres. Réglez le compas à 29,2 centimètres, et décrivez un arc en partant des deux coins inférieurs du carton. L'intersection représente le sommet du triangle. Dessinez les côtés en partant de cette intersection pour arriver aux coins inférieurs. Découpez les triangles dans la feuille de carton et fixez-les avec du ruban adhésif pour obtenir votre pyramide.

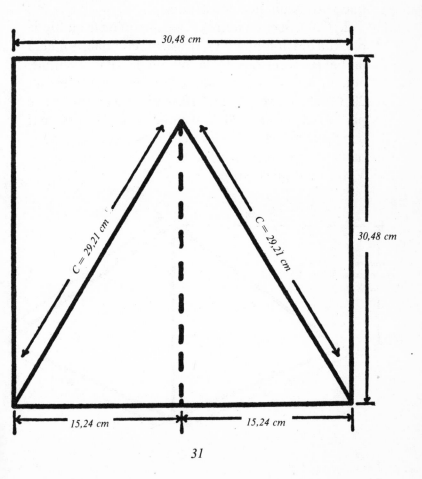

31

Pour des pyramides de taille intermédiaire ou plus petites, utilisez le tableau suivant :

Base	Côtés	Hauteur approximative
7,62 cm	7,24 cm	5,08 cm
15,24 cm	14,48 cm	10,16 cm
22,86 cm	21,72 cm	15,24 cm

1. Déterminez la hauteur désirée de la pyramide que vous souhaitez construire.

2. Choisissez un nombre qui, lorsqu'on le multiplie par l'un des nombres de la troisième colonne, donnera la hauteur désirée de la pyramide. Par exemple, admettons que vous vouliez que votre pyramide ait 20,32 centimètres de haut. 10,16 centimètres multiplié par deux donne 20,32 centimètres. Utilisez par conséquent la ligne centrale du tableau, celle où la hauteur approximative est de 10,16 centimètres. Votre multiplicateur est 2.

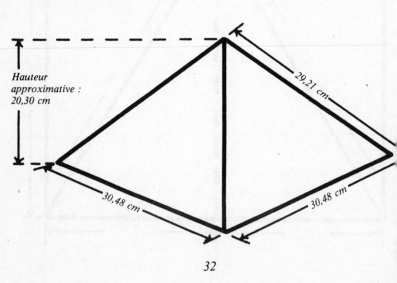

32

3. Multipliez maintenant chacun des nombres des colonnes 1 et 2 (15,24 cm et 14,48 cm) par 2.

Vous savez qu'une pyramide d'environ 20,32 centimètres de haut doit avoir une base de 30,48 centimètres et des côtés d'environ 29,21 centimètres (voir figure 32).

Méthode 2

Pour construire une pyramide d'un seul tenant, prenez un compas et, en vous référant au schéma (voir figure 33), dessinez un cercle de 14,94 centimètres de rayon.

Tracez une ligne à partir du centre jusqu'au point extérieur (a) et placez le compas à 15,24 centimètres. A partir du point (a), marquez un autre point sur le cercle à une distance de 15,24 centimètres (b). A partir du point (b), marquez un autre point sur le cercle à 15,24 centimètres (c). Puis du point (c), marquez une autre longueur de 15,24 centimètres. Enfin, à partir du point (d), marquez le dernier point (e) à 15,24 centimètres.

Reliez avec une règle les points (a) et (b), (b) et (c), (c) et (d), (d) et (e), et le point (e) au centre. Incisez une ligne avec un couteau de (b), (c), (d) au centre (voir figure 33).

Coupez le long des lignes tracées au crayon, pliez le long des lignes incisées et collez ensemble les bords avec une bande adhésive. Cette construction donnera une pyramide d'environ 10,16 centimètres de haut, avec une base carrée de 15,24 centimètres de côté.

Si vous voulez faire un cercle de plusieurs dizaines de centimètres de diamètre, vous pouvez construire un compas en bois avec un bâton ou une planche

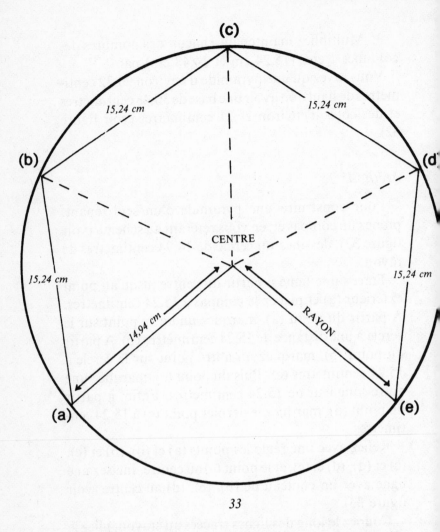

(c)

15,24 cm   15,24 cm

(b)   (d)

CENTRE

15,24 cm   15,24 cm

14,94 cm   RAYON

(a)   (e)

33

étroite un peu plus longue que le rayon du cercle désiré. Percez un trou à chaque extémité du bâton. La distance entre les deux trous doit être égale au rayon du cercle. Insérez un crayon dans l'un des trous et un clou dans l'autre. Utilisez le clou comme centre du cercle, comme pivot. Pour tracer le cercle, servez-vous du morceau de bois comme d'un compas.

Méthode 3

Tracez avec précision le schéma suivant (figure 34).

Prolongez les côtés C du schéma en fonction de la taille de pyramide désirée. En répétant ce procédé trois fois, on obtient quatre triangles identiques à ceux de la première méthode. Il faut alors assembler les quatre morceaux triangulaires avec une bande adhésive.

Si vous voulez encore plus d'exactitude, procurez-vous un rapporteur très précis. Placez le rapporteur à 61 degrés et dessinez les angles, et prolongez les lignes en fonction de la taille de pyramide que vous désirez.

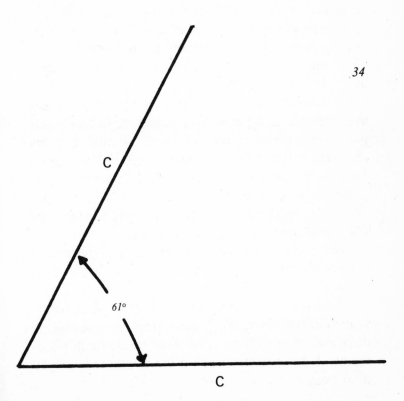

34

Une fois que vous avez construit la pyramide, gardez à l'esprit le fait que votre construction n'est pas très précise ; que la proportion exacte — ou le rapport exact — ne sera pas parfaite, et que cela peut affecter les résultats de vos expériences.

Pour vérifier que votre pyramide ne présente pas une légère disproportion, nous vous conseillons de faire une marque au niveau de la base sur l'un des côtés, et de maintenir ce trait orienté vers un point cardinal pendant l'expérience.

A ce stade, vous pouvez désirer construire une base de support pour la pyramide, pour pouvoir la déplacer facilement. Découpez simplement un morceau de carton carré, dépassant de plus de dix centimètres la base de la pyramide. Par exemple, si vous avez construit une pyramide dont la base est de 15,24 centimètres, coupez un morceau de carton carré de 25,4 centimètres de côté.

La plupart des expériences peuvent être réalisées avec un spécimen placé directement sur la base, mais pas nécessairement au centre. Il semble que les résultats expérimentaux soient améliorés lorsqu'on élève le spécimen à un tiers de la hauteur de la pyramide à partir de la base. Si vous le désirez, vous pouvez construire votre propre plate-forme avec n'importe quel matériau de votre choix.

Tout permet de penser que l'énergie responsable de ces propriétés extraordinaires est concentrée en un point situé exactement au tiers de la hauteur. Il faut poser les spécimens petits ou fins sur une plate-forme pour leur permettre d'être aussi près que possible de ce niveau. Cependant, la hauteur totale de la plate-forme et du spécimen ne doit pas dépasser le niveau d'un tiers.

Enfin, chaque côté devrait correspondre à l'orientation d'un des quatre points cardinaux : Nord, Est, Sud et Ouest. Utilisez le nord géographique, mais il semble que le nord magnétique marche également. Il est d'ailleurs plus facile à trouver. Pour déterminer le nord magnétique, il vous faut utiliser une boussole de bonne qualité. Le nord géographique diffère du nord magnétique d'une déclinaison de plusieurs degrés, qui dépend de la latitude où vous vous trouvez. Vous pouvez déterminer la déclinaison de l'endroit où vous vous trouvez en consultant l'almanach local.

Lorsque vous placez le spécimen dans la pyramide, orientez-le de telle sorte que son plus grand axe suive la direction des pôles nord-sud. Dans le cas de spécimens presque ronds, placez-les simplement au centre de la pyramide pour qu'ils soient situés directement sous le sommet.

Il y a une bonne façon de vous assurer que votre pyramide est correctement orientée : placez du miel ordinaire dans un plat rectangulaire peu profond, et alignez l'axe le plus long du plat dans une direction nord-sud. Après un maximum de cinq jours, si la pyramide est correctement orientée, le miel devrait commencer à se solidifier et à être collant au toucher. Quand la pyramide est légèrement déplacée par rapport à l'alignement correct, le miel va redevenir fluide en vingt-quatre heures. Si, après la période maximale de cinq jours, le miel est toujours liquide, vous saurez que la pyramide ou le récipient du miel, ou les deux, sont mal alignés.

La pyramide doit évidemment être placée de telle manière qu'elle ne sera pas bougée pendant l'expérience. L'environnement immédiat doit aussi conserver une température et une humidité constantes. Le processus étant fondé sur des énergies cosmiques, magnétiques, ou autres radiations naturelles, évitez la proximité de postes de radio ou de télévision, et autres instruments à haute fréquence ou à haute tension.

Soyez patient, précis et scientifique. Si votre première expérience est un échec, analysez soigneusement la manière dont vous avez procédé. Vérifiez que les dimensions de votre pyramide sont correctes, que vous avez convenablement orienté tant la pyramide que l'objet placé à l'intérieur, que vous avez maintenu votre spécimen dans la pyramide pendant le temps minimal requis et que vous avez effectué les contrôles nécessaires. En tout cas, ne vous découragez pas. Recommencez l'expérience, et peut-être découvrirez-vous quelque chose de très important pour la science pyramidologique.

12

Comment tirer le meilleur parti de l'énergie pyramidale

par
Joan Ann de Mattia

Joan Ann de Mattia est diplômée du University College de Rutgers et de l'Institut de Psychorientologie de Laredo, au Texas. Parallèlement à une carrière d'écrivain, elle donne des cours sur le développement de la mémoire et dirige des stages destinés à accroître les capacités psychiques. Mme de Mattia a été coordinatrice pour le monde occidental à la Première Conférence Internationale sur la Recherche Psychotronique qui s'est tenue à Prague en 1973. A la seconde C.I.R.P., à Monte-Carlo en 1975, elle a présenté un texte sur les applications pratiques de l'énergie orgone. On lui doit d'ailleurs l'invention d'un collier à énergie orgone. Mme de Mattia s'est activement intéressée à l'énergie des pyramides depuis 1971. Elle nous livre ici son expérience hautement qualifiée en la matière.

Il y a environ quatre ans, lorsque je reçus mes premières pyramides de la Toth Pyramid Company, j'ai essayé de faire mes expériences de la manière la plus scientifique possible. J'ai commencé par placer une adorable rose jaune au centre d'une petite pyramide de carton, posée sur une boîte de Chanel n°5, parce que cela correspondait exactement au tiers de la hauteur de ma pyramide. Comme spécimen de contrôle, je plaçai une autre rose jaune à l'extérieur de la pyramide, sur un morceau de papier blanc. Puis je plaçai une troisième rose jaune dans une autre pyramide et sur une boîte. Toutes trois étaient alignées sur l'axe géographique nord-sud.

Les cinq jours suivants, je pesai à la fois la "rose de la pyramide" et la "rose de l'extérieur" dont je notai le poids et la couleur. Je ne touchai pas à la troisième rose. Dès le quatrième jour, la "rose de la pyramide" semblait complètement momifiée. La couleur s'était intensifiée et elle gardait encore un léger parfum de rose. La "rose de l'extérieur" avait perdu son odeur et la couleur des pétales avait quelque peu terni. La fleur était déshydratée mais cassante, et les feuilles tombaient facilement au moindre choc. Au contraire, la "rose de la pyramide" était sèche et vigoureuse et sentait encore. La rose non manipulée était délicieusement belle ; la couleur était beaucoup plus intense que lorsqu'elle était fraîche ; le parfum était aussi fort qu'au premier jour. Les pétales et les feuilles étaient secs mais, curieusement, les trois spécimens avaient perdu le même poids.

J'ai ensuite essayé avec des pommes et, en utilisant exactement le même procédé. Après trois semaines de pesées et de mesures, aucune différence sensible avec l'apparence ou le poids du premier jour. Il m'apparut clairement qu'il faudrait beaucoup de temps avant que les pommes ne se momifient.

Alors j'ai coupé des champignons et des pommes en tranches. La momification prit environ six à huit semaines, selon la taille. Nous avons mangé tous les champignons et presque toutes les tranches de pommes, mais j'ai toujours quelques tranches de pomme originelles. Je regrette maintenant de m'être débarrassée des pommes entières, étant donné, surtout, qu'il leur avait fallu trois mois pour se momifier. Les champignons avaient le goût de champignons frais, ils avaient gardé leur couleur, et leur aspect était légèrement ridé et sec. De temps en temps, je goûtais un tout petit morceau de pomme en tranches. Il était étonnant qu'elles aient conservé un goût de "pomme fraîche" et la peau était aussi colorée qu'au premier jour. La seule différence notoire était que les pommes en tranches avaient l'air sèches et légèrement ridées.

J'ai ensuite utilisé du persil, des feuilles de céleri, des feuilles de menthe, de l'aneth et du basilic. Trois ou quatre jours dans la pyramide suffisent pour une petite poignée. La chose extraordinaire, c'est que les herbes momifiées conservent un goût parfait et leur véritable couleur, à l'opposé des herbes séchées ou déshydratées que l'on trouve dans le commerce et qui gardent un certain goût, mais perdent complètement leur couleur d'origine. J'ai quelques feuilles de céleri et de menthe qui ont quatre ans et qui ont encore une apparence et un goût aussi frais que le jour où je les ai achetées.

Mon expérience la plus bizarre a consisté à fabriquer des gouttes de miel. Je n'ai pas obtenu des gouttes de miel, mais les résultats ont été curieux. J'ai versé deux cuillerées à soupe de miel dans une toute petite assiette plate et je l'ai centrée au sommet de la boîte dans la pyramide. Cinq jours plus tard, le miel était devenu poisseux et collant. Une semaine plus tard, il avait commencé à se solidifier. Et, au bout de trois semaines, je pouvais maintenir l'assiette complètement penchée de côté pendant près d'une minute avant que le miel ne commence à glisser vers le bord. Puis quelqu'un a accidentellement bougé la pyramide, qui n'était alors plus dans l'axe nord-sud, et quand je l'ai vérifiée à la fin de la quatrième semaine, à ma grande surprise, le miel était redevenu liquide.

J'ai réorienté la pyramide et attendu. Le miel s'est solidifié à nouveau et a atteint le même degré au bout de trois semaines. Pour m'amuser, j'ai déplacé la pyramide en modifiant son orientation pour voir si le miel allait fondre une deuxième fois. Ce qui s'est effectivement produit. Et ainsi de suite...

Lorsque j'appris que Gloria Swanson dormait avec une pyramide sous son lit parce que ça lui donnait plus d'énergie, je me suis empressée de placer une pyramide rouge sous mon lit, à un endroit correspondant plus ou moins à mon plexus solaire. Le lendemain, je me sentis déborder d'énergie, comme si j'avais dormi huit heures au lieu de cinq.

Pourquoi alors ne pas multiplier le nombre de pyramides : si je plaçais deux pyramides supplémentaires sous le lit — une sous chaque hanche, formant ainsi une forme pyramidale avec celle qui était située sous mon plexus solaire — peut-être allais-je assister à la disparition d'une partie de mon excédent de graisse ? J'ai répété l'opération pendant plusieurs semaines. Mon énergie était extraordinaire, mais ni ma balance ni mon mètre à ruban n'indiquèrent une diminution de ma taille ou de mes hanches. J'ai cependant continué à mettre une pyramide sous mon plexus solaire pendant mon sommeil chaque fois que je ressentais un besoin d'énergie supplémentaire. Et la plupart de mes amis font de même.

Un jour que mon ami traversait une période de fatigue, je lui ai donné une pyramide en lui conseillant de la placer sous son lit. Il trouva cela idiot. Aussi, quelques jours plus tard, je disposai moi-même une pyramide rouge sous sa chaise. L'effet ne tarda pas à se manifester ! Pour mon plus grand plaisir...

Dans l'atelier hebdomadaire pour le développement des capacités métapsychiques que je dirigeais à cette époque, nous avons fait de nombreuses expériences de télépathie à l'intérieur d'une grande pyramide. De nombreuses personnes ont vu des éclairs colorés, ressenti des sensations de picotement dans la peau, entendu de la musique et accru leur perception sensorielle. L'envoi télépathique de couleurs réussissait avec une précision telle que sur dix essais, il y avait huit à neuf bonnes réponses.

Tandis que j'enseignais à mes étudiants comment faire de la télékinésie (déplacement d'objets sans contact), l'un d'eux eut l'idée de mettre sa pyramide sur le sol, devant ses pieds. Cela marcha très bien et, en moins de temps que d'habitude, il devint très habile à déplacer les objets.

Quelle est la couleur qui donne le plus d'énergie ? On ne peut répondre absolument à cette question, car cela varie d'une personne à l'autre. Je préfère, dans l'ordre, le rouge, l'orange, le rose, le pourpre, mais d'autres préfèrent le jaune, le bleu, le vert, le noir. A chacun d'essayer les différentes couleurs et de voir quels sont les meilleurs résultats.

Quoi qu'il en soit, je vous souhaite de francs succès et... beaucoup de plaisir !

13

Voyages dans le futur

Imaginez une étincelante pyramide blanche de 256 mètres de haut, avec une flèche de 63,5 mètres et un angle de pente de 5 degrés, placée dans le quartier des finances d'une des plus grandes villes des Etats-Unis.

« La taille effilée de la pyramide donne à chaque étage une forme différente. Les locataires n'ayant besoin que de 180 mètres carrés peuvent occuper un étage entier. L'étage le plus grand, le cinquième, mesure 44,5 mètres de côté et contient environ 180 mètres carrés d'espace. Le plus petit, le quarante-huitième, ne mesure que 13,5 mètres de côté. Les ascenseurs de la pyramide sont installés de manière à satisfaire aux besoins de circulation dans le bâtiment, à interrompre au minimum la vue des bureaux alentour. Sur dix-huit ascenseurs à grande vitesse, quatre desservent les étages étroits au-delà du "couloir du ciel" du vingt-septième étage, et deux seulement atteignent le sommet. »

Ce texte est-il extrait d'un roman de science-fiction? Non. Il s'agit d'une publicité conçue par une société immobilière pour la fameuse "Pyramide Transamerica". Ce bâtiment de San Francisco est le premier des États-Unis à être construit en forme de pyramide. Très rapidement, il a été imité. En 1974, à l'Église chrétienne de l'Unification de Houston au Texas a été érigée une église pyramidale qui respecte les proportions de la Grande Pyramide de Guizèh. Le bâtiment couvre une surface totale de 828,54 mètres carrés et sa hauteur totale est de 19 mètres. Pour s'assurer que la pyramide était bien orientée selon l'axe du nord géographique, on a fait appel à un membre du Planétarium Burde Baker de Huston.

Les flancs de l'église, comme ceux de la Grande Pyramide, sont de la même longueur que la base, moins 5 %. La base carrée de 26,7 mètres de côté est placée à 2,4 mètres du sol, permettant à l'espace inférieur d'être utilisé comme pièces pour l'entretien, toilettes, etc. L'effet de pyramide totale est produit par le fait que toute la structure est entourée d'un talus en pente planté d'herbe. On a fait grand usage du verre pour l'entrée principale, et toute la pyramide est recouverte d'un parement en aluminium doré.

A l'intérieur, le sol en pente de la nef de l'église permet une visibilité maximale. De cinq cent cinquante à six cents personnes peuvent s'asseoir dans le sanctuaire sur des sièges ressemblant à des sièges de théâtre. Autres éléments intéressants : un autel légèrement surélevé et un pupitre avec des contrôles à rhéostats pour l'éclairage de l'église, système de contrôle du son dans le chœur, une tribune supérieure pour le chœur et un emplacement pour l'organiste.

Il serait également intéressant d'expérimenter la pyramide dans l'espace. S'il s'avère que même dans une atmosphère extra-terrestre, les pouvoirs de la pyramide subsistent, pourquoi la N.A.S.A. n'envisagerait-elle pas de placer des structures pyramidales dans un vaisseau spatial ?

On étudie actuellement comment le froid peut abaisser le métabolisme de base d'un astronaute : quelques années pourraient, physiologiquement, n'avoir pas plus d'effet sur l'être humain que quelques minutes. On pourrait peut-être utiliser la pyramide et ses pouvoirs de conservation comme complément ou même comme substitut du processus cryogène.

On peut aussi envisager d'emmagasiner l'énergie solaire dans une pyramide construite avec des matériaux aussi adaptés que possible à l'absorption de l'énergie électro-magnétique du soleil. Ou, peut-être, pourrait-on construire une sorte de générateur à partir de l'énorme énergie calorifique contenue dans une pyramide géante.

Quelques chercheurs ont suggéré d'utiliser la forme pyramidale pour "concentrer" un rayon laser. Ne pourrait-on ainsi, et entre autres emplois, parvenir à dissiper des orages ?

Face à ces perspectives d'avenir, il nous faut répéter que les grandes pyramides du monde sont des chefs-d'œuvre d'architecture, de technique et de construction. La technologie moderne est incapable de rivaliser avec elles. Il semble donc *incroyable* que les civilisations anciennes aient été capables de créer ces monuments colossaux. En dépit des affirmations des archéologues, nous croyons, pour notre part, qu'à une époque, un peuple disposant d'une technologie très avancée a habité sur la Terre. Notre hypothèse s'appuie sur les faits suivants :

1. Des pyramides ont été construites en des sites répartis aux quatre coins du monde, tout en étant pratiquement identiques sur le plan architectural, technique et astronomique.

2. Aucune de ces pyramides n'a pu être construite à l'aide des outils trouvés sur ces sites.

3. Dans la plaine de Nazca, au Pérou, on trouve de longues traînées qui, selon Erich von Däniken dans *Chariots of Gods?*, « rappellent beaucoup les pistes d'un aéroport moderne ».

4. On a exhumé quantité de fresques et sculptures sur les sites des fouilles à proximité des pyramides. Elles représentent des gens vêtus et casqués à la manière des aviateurs et des astronautes modernes.

5. En Amérique du Sud, on a mis à jour des statues représentant des types raciaux inconnus.

6. La momification était utilisée par tous les peuples qui ont construit des pyramides.

7. Dans l'ancien Pérou, on a découvert des crânes qui témoignent d'une chirurgie du cerveau extraordinairement habile. Les instruments utilisés par les chirurgiens de l'époque ont également été trouvés sur les sites. Selon un neuro-chirurgien péruvien éminemment respectable, plus de 85 p. 100 des opérations étaient réalisées avec succès. C'est, par rapport aux résultats actuels, un pourcentage phénoménal.

8. Pour autant qu'on puisse en juger, les pratiques

religieuses de toutes les civilisations à pyramides présentent un nombre important de similitudes.

D'autre part, tant dans l'Ancien Testament que dans le Nouveau, on trouve des références à des "dieux" qui ont reçu la parole de Dieu.

« J'ai dit, vous êtes des dieux ; et vous êtes tous les enfants du Très-Haut. » (*Psaumes,* 82, 6)

« Jésus répondit : "Il est écrit dans votre propre loi que Dieu dit : *Vous êtes des dieux.* Nous savons que ce que dit l'Ecriture est vrai à jamais ; et Dieu les a nommés dieux, ces gens à qui son message fut donné." » (Jean, 10, 35, cité dans *Good News for Modern Man.*)

Jésus s'appelait lui-même "le fils de Dieu". De même, d'autres grands chefs spirituels tels que Bouddha, Mahomet étaient considérés comme des dieux par leurs adeptes. Ces hommes, ou ces "dieux", ont vécu des vies assez semblables et prêché les mêmes doctrines fondamentales.

Dans *Pagan and Christian Creeds,* Edward Carpenter dresse la liste de dix caractéristiques communes à tous les "dieux" terrestres :

1. Ils sont nés un 25 décembre, ou aux alentours de cette date.

2. Ils sont nés d'une mère vierge.

3. Ils ont mené une vie de sacrifices.

4. Ils sont nés dans une grotte ou une chambre souterraine.

5. Ils se sont fait appeler par des noms tels que "Celui qui apporte la Lumière", "Guérisseur", "Celui qui médite", "Sauveur", "Celui qui délivre".

6. Ils ont été vaincus par les "pouvoirs des ténèbres".

7. Ils sont descendus dans un monde souterrain.

8. Ils ont ressuscité et sont devenus les défenseurs de l'humanité dans le monde céleste.

9. On a fondé des communions de saints dans leur entourage et des églises où les disciples étaient admis par le baptême.

10. Ils sont commémorés par des repas eucharistiques.

Le dieu égyptien Osiris, tout comme le Christ, possède les caractéristiques énoncées ci-dessus.

Selon Plutarque, Osiris est né le 316ᵉ jour de l'année. Comme le Christ, il a beaucoup voyagé. Il est devenu roi d'Egypte et «tenait en respect ses sujets par la musique et la douceur, et non par la force des armes». Plutarque raconte qu'il fut trahi par les pouvoirs des ténèbres et mis à mort, puis écartelé. «Cela se produisit, dit-il, le 17 du mois d'Athyr, quand le soleil entre dans le Scorpion.» Son corps fut placé dans un cercueil d'où, deux jours après, il se leva. A partir de ce moment, on apporta chaque année, en commémoration de sa résurrection, une image dans un cercueil. On la montrait aux adorateurs qui l'accueillaient aux cris de «Osiris s'est levé».

Le dieu créateur des Péruviens est aussi décrit comme un dieu qui a beaucoup voyagé à travers son pays pour enseigner le peuple. Contrairement à la plupart des autres dieux, Viracocha n'est pas tué et ressuscité, mais il a simplement quitté le continent en marchant sur l'océan Pacifique.

L'apparition en différentes parties du monde de figures presque identiques est-elle une coïncidence?

Si l'on se rappelle que tous ces dieux ont vécu à proximité d'un complexe pyramidal, la description que donne Manly P. Hall dans *The Secret Teachings of All Ages* du rituel accompli dans la Grande Pyramide prend une signification nouvelle :

Dans la Chambre du Roi, se déroulait le drame de la "seconde mort". Là, le postulant, après avoir été crucifié sur la croix des solstices et des équinoxes, était enterré dans le grand coffre...

Le postulant était placé dans un grand cercueil de pierre et pendant trois jours son esprit – libéré de son enveloppe mortelle – errait aux portes de l'éternité... Prenant conscience que son corps était une maison où il pouvait entrer et sortir sans la mort, il atteignait à la véritable immortalité. Au bout de trois jours, il revenait en lui-même et, ayant fait l'expérience du grand mystère, il était vraiment initié.

Hall écrit aussi :

La Chambre du Roi était... un passage entre le monde matériel et les sphères transcendantales de la Nature... La Grande Pyramide peut donc être, en un sens, comparée à une porte par laquelle les anciens prêtres permirent à quelques-uns d'accéder à l'accomplissement individuel.

On a pu dire que ces initiés étaient les survivants de la civilisation atlantéenne, envoyés par les prêtres pour apporter la lumière au peuple de la région particulière dans laquelle, ou près de laquelle, se trouvait une pyramide.

Qu'est-il arrivé à cette civilisation dont la technologie était si avancée ? S'est-elle éteinte ? A-t-elle été détruite par un désastre naturel ? Ou, peut-être, est-elle toujours vivante en un lieu inconnu et inaccessible ?

Les civilisations dites "préhistoriques" adoraient le feu. Les seules exceptions furent précisément celles des constructeurs de pyramides qui adoraient le

Soleil. Les "dieux du Soleil", à qui ces diverses civilisations rendaient hommage, étaient donc des navigateurs aériens de quelque race terrestre supérieure.

Von Däniken écrit dans *Chariots of the Gods?* : « Les conquistadors de l'Amérique Centrale et du Sud se sont opposés aux sagas de Viracocha, le dieu péruvien. Jamais auparavant ils n'avaient entendu parler d'hommes blancs gigantesques venus du ciel... On leur a parlé d'une race de *fils du Soleil* qui ont enseigné à l'humanité toutes sortes d'arts, puis ont disparu à nouveau. Et toutes les légendes assuraient que les fils du Soleil reviendraient. »

Il est possible qu'ils aient délibérément construit leurs temples et leurs centres initiatiques en forme de pyramide afin que les tourbillons d'énergie émergeant du sommet servent de balises pour le retour des pilotes. Les pyramides tronquées ou à toit plat, ou à degrés, auraient alors été conçues à la fois comme temples et comme pistes d'atterrissage pour les avions.

14

Le futur est pour aujourd'hui !

Aujourd'hui, on s'intéresse surtout à la pyramide de méditation. Il s'agit d'un grand modèle où l'on peut se tenir debout, s'asseoir, dormir ou faire l'amour. Une pyramide de méditation doit être pourvue de trous d'aération sur chaque face. De plus, pendant l'utilisation de la pyramide, il faut que la base soit soulevée de 2 à 3 cm au-dessus du sol pour permettre une circulation d'air convenable et éviter l'anoxie (consommation insuffisante d'oxygène entraînant le délire, la respiration courte et l'évanouissement). Le temps passé dans une pyramide doit être inversement proportionnel à la consommation d'oxygène. C'est-à-dire que plus l'activité est grande, plus le temps passé à l'intérieur de la pyramide doit être court. C'est le sommeil qui consomme le moins d'oxygène, et qui, par conséquent, permet de rester le plus longtemps à l'intérieur de la pyramide.

Les tentes pyramidales en plastique pourraient avoir un effet opposé à l'effet recherché. Il est connu que les matières plastiques produisent ou accumulent de l'électricité statique à leur surface, plus facilement que la plupart des autres substances.

Les frictions produites lors de l'installation dans la pyramide, le mouvement du corps à l'extérieur et à l'intérieur et le flux d'air provenant de la chaleur du corps à l'intérieur de la pyramide, peuvent entraîner l'accumulation de centaines, et même de milliers de volts sur les surfaces en plastique. Cette électricité statique est similaire à celle que le corps acquiert lorsqu'on marche sur un tapis par un jour froid et sec. Si vous touchez alors un interrupteur électrique, vous produisez une décharge de ce voltage statique, ce qui n'est pas agréable ! Pourtant, la condensation d'électricité statique sur la pyramide à enveloppe plastique ne produira que rarement ce choc. Ce qui se passera plutôt, c'est un changement des propriétés électriques de l'air dans la pyramide elle-même : à savoir, une ionisation, c'est-à-dire un gain ou une perte d'électrons. Ce processus est accentué lorsque votre chaleur corporelle réchauffe l'air dans la pyramide, provocant des courants d'air entraînant des stratifications de chaleur. Les couches de température qui se forment, air plus chaud au sommet et plus frais à la base, s'ioniseront aussi à différents degrés, positivement ou négativement, selon la charge de l'enveloppe plastique. Des savants de la N.A.S.A. ont déterminé que les gens exposés à un environnement dont l'atmosphère est chargée d'ions négatifs sont plus alertes et se sentent en général très bien, tandis que l'on remarque l'effet inverse dans une atmosphère ionisée positivement où l'on ressent divers états de dépression. Par conséquent, l'ionisation de l'air dans une pyramide de méditation à enveloppe plastique peut gravement entraver les véritables énergies de la pyramide. Ce qui expliquerait les échecs relatifs de l'utilisation de pyramides en plastique dans l'amélioration de la croissance des plantes.

Si vous n'obtenez aucun effet ou l'effet opposé à celui que vous attendiez, ce n'est en aucun cas le pouvoir de la pyramide qui est en cause, mais l'influence de plusieurs variables qui altèrent ou bloquent les énergies. Répétez alors l'expérience dans une pièce différente, avec un intervalle de plusieurs jours, ou même de plusieurs semaines.

L'eau est non seulement gratuite et abondante, mais elle est aussi la substance la plus facile à utiliser. Les pisciculteurs savent bien qu'il faudrait laisser "vieillir" l'eau courante du robinet pendant trois ou quatre jours avant de la mettre dans les réservoirs à poissons. Ce processus de vieillissement permet au fluor, au chlore et à d'autres substances chimiques de se dissiper. D'autres processus de traitement de l'eau pour éliminer les bactéries, les minéraux et autres agents de contamination, consistent à bouillir, filtrer et distiller. Mais ces procédés sont longs et coûteux, et c'est la raison pour laquelle l'eau de source en bouteille est si répandue aujourd'hui. Nos grand-mères et arrières-grand-mères avaient résolu ce problème en utilisant l'eau de pluie qui est très douce, sans minéraux, et relativement pure.

Cela dit, quel que soit le type d'eau utilisé, lorsqu'elle est traitée dans une pyramide, elle acquiert d'incroyables propriétés énergétiques aux possibilités illimitées. La quantité d'eau traitable dépend de la taille de la pyramide. Nous vous suggérons de traiter au minimum un litre à la fois. La taille de la pyramide doit être suffisamment grande pour que le milieu du récipient puisse être situé au tiers de la hauteur de la pyramide. Nous avons établi qu'un litre d'eau doit être traité dans la pyramide pendant au moins vingt-quatre heures.

Après avoir traité l'eau, fermez le récipient et placez-le dans le réfrigérateur ou dans un endroit frais et relativement à l'abri de la lumière. Cette eau traitée dans la pyramide peut être conservée indéfiniment parce que ses énergies nouvellement acquises sont véritablement "soudées" aux molécules d'eau.

L'eau de pyramide a des effets bénéfiques, et même curatifs : soulagement de l'arthrite, coupures, brûlures, bosses, callosités, envies, verrues, pellicules, etc.

Dans la cuisine, l'eau de pyramide fait des merveilles. La nourriture cuite, ou même simplement plongée dans l'eau de pyramide, voit son goût et sa qualité améliorés. Café, thé, lait en poudre, jus d'orange, cacao, pudding, soupes en concentré ou en sachets, etc., prennent plus de saveur.

M. John Rex, de New York, propose aussi une expérience pour recharger une pile ordinaire placée dans la pyramide.

But de l'expérience

Une pile pour flash dont le voltage est faible peut-elle être rechargée par un séjour sous un modèle réduit en carton de la Pyramide de Chéops ?

244

Contrôles

Trois piles de même taille et d'un voltage similaire sont laissées à l'extérieur de la pyramide. On utilise, de plus, un voltmètre digital pour déterminer le voltage jusqu'à la quatrième décimale. C'est-à-dire 0,0001 volt ou un dix-millième de volt. Un technicien qualifié prend la mesure de tous les voltages, tant au début qu'à la fin de l'expérience.

Mise en place de l'expérience

La pyramide est orientée et placée selon les instructions données ci-dessus dans cet ouvrage. La pile est placée dans la pyramide, au tiers de la hauteur, avec le pôle positif au nord et le pôle négatif au sud.

Voltage des piles

PILES HORS DE LA PYRAMIDE
CONTRÔLES B, C ET D

Voltage de départ	Voltage un mois plus tard	Changement net
		+ 0,0101 volts
B 1,3612	1,3713	+ 0,0033 volts
C 1,3709	1,3742	+ 0,0147 volts
D 1,3593	1,3740	+ 0,0094 volts
E	Changement moyen	

PILES SOUS PYRAMIDE

Voltage de départ	Voltage un mois plus tard	Changement net
A 1,3579	1,3776	+ 0,0197 volts

Résultats

Changement net de la pile sous
pyramide - A 0,0197

moins le plus grand changement
dans les piles de contrôle 0,0147

la pile de la pyramide a gagné 0,0050 volts

Changement net de la pile sous
pyramide - A 0,0197

moins le changement moyen des
piles de contrôle 0,0094

la pile de la pyramide a gagné 0,0103 volts

Commentaires et conclusion

Si nous comparons uniquement les voltages de la pile de contrôle D, qui a le plus grand changement net de voltage, à la pile de la pyramide A, nous ne trouvons un gain que de 5 millivolts. Evidemment, si nous comparons la pile de la pyramide A au changement moyen du voltage des piles de contrôle E, nous trouvons que nous avons un voltage supérieur de 10,3 millivolts, soit le double. Pour aller un peu plus loin, nous aurions pu comparer le plus bas voltage de contrôle C au voltage de la pyramide A et obtenir un changement net de 16,4 millivolts. Dans tous les cas, on a la preuve du "pouvoir de la pyramide".

Un certain M. Cousins a construit une pyramide à Malibu, en Californie, afin de démontrer l'existence de son énergie. L'énergie produite dans cette pyramide de 9 mètres de haut est très forte. M. Cousins a pu, par exemple, faire réagir fortement un auramètre en concentrant un rayon d'énergie à travers les

246

35. *Centre d'évolution spirituelle.*

36. *Résidence pyramidale.*

37. *Institut des sciences médicales.*

paumes de ses mains et en le dirigeant vers l'aura-mètre à une distance de 6,6 mètres.

M. Cousins a conçu un projet de restaurant végé-tarien à Los Angeles pour les Atlantéens de l'Ere nouvelle. Parallèlement au restaurant, il a conçu un projet de théâtre à deux mille cinq cents places, pour San Francisco.

A New York, on a conçu une résidence de trois étages pour tirer parti des forces énergétiques déve-loppées dans une pyramide en tant qu'accumulateur. Le premier étage abrite les zones fondamentales d'habitation avec cuisine, salle à manger, salle de bains et chambres à coucher. Il y a un accès direct aux espaces extérieurs de détente et aux jardins. Le deuxième niveau est atteint par un escalier en spirale et se trouve au tiers de la hauteur de la pyramide. Cet espace est consacré aux activités de développement spirituel à l'intérieur de la famille. C'est une zone où la concentration d'énergie vitale est optimale. Des zones à usage individuel sont situées selon la fonction et le degré d'énergie désirés.

Juste au-dessus et au troisième niveau, se trouve une serre de verre pour le développement, douze mois par an, du jardin familial. Il abrite aussi un générateur éolien qui satisfait les besoins électriques de base et recharge les piles du moteur électromagnétique annexe qui fonctionne comme générateur de la puissance électrique nécessaire à la maison pyrami-dale. Le moteur E.M.A. est un dispositif qui fonc-tionne selon le principe de la transformation électromagnétique, ne nécessite aucun carburant d'extraction, recycle sa propre énergie et ne crée pas de déchets. Un système de traitement organique

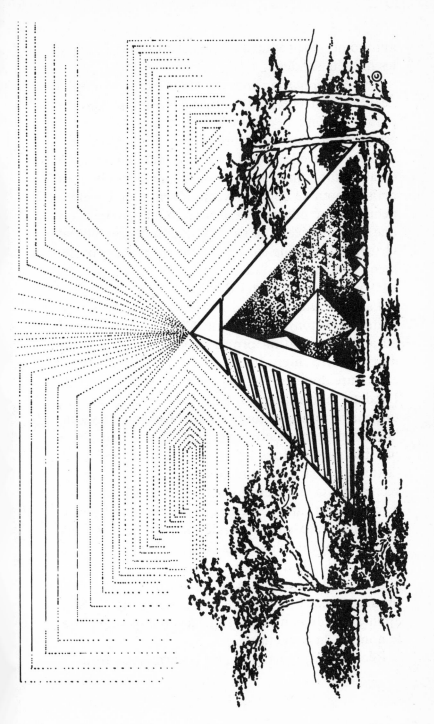

38. *Métappartements.*

autonome, qui produit du compost utilisable, écoulera les déchets solides.

Les *Métappartements*, ou Habitations Multiples de l'Ere nouvelle, conviennent à tous les sites. La pyramide contient des secrets de sagesse cosmique et est donc une résidence appropriée pour les consciences de l'ère nouvelle. Dans cette structure pyramidale d'habitation, on n'aura plus besoin de quitter sa maison pour se déplacer vers un centre de développement situé ailleurs. Le centre communautaire est une forme créée à partir d'une pyramide réelle et virtuelle suspendue entre deux murs-pyra d'appartement procurant un vaste espace pour les groupes participant aux activités de développement.

La structure *métappartement* est construite en unités de béton précontraint. Chaque appartement aura une ventilation propre et sera insonorisé. Un mur de verre suivra toute la longueur de la terrasse extérieure dominant les vues vers l'ouest et vers l'est. Les deux murs triangulaires d'appartement procurent une couverture pour tout un parc privé et une zone de jardin en pente. Cette zone aura une atmosphère paisible puisque tous les appartements donnent sur l'extérieur, dans la direction opposée à l'aire de récréation, et le son est donc dispersé vers l'extérieur, à l'opposé du parc intérieur. Le parking est souterrain et des accumulateurs d'énergie solaire sont construits dans la bande de chaque balcon, pour constituer une source naturelle d'énergie.

M. Cousins travaille à un projet de centre métaphysique, centre de verdure, centre de thérapie... Son application de la métaphysique à l'architecture porte le nom de "métatecture".

Récemment, nous avons eu la surprise de trouver

des pyramides sur Mars ! Quatre structures de forme pyramidale, deux petites et deux grandes, sont apparues sur quelques-unes des sept mille photographies envoyées à la Terre pendant le survol de Mars par Mariner 9. Les savants de l'espace s'accordent généralement sur le fait que ces formes pyramidales ne peuvent pas être d'origine naturelle. Ils prétendent être capables de mesurer approximativement leur taille et leur hauteur. Ils ne peuvent cependant s'accorder pour dire si ces structures ont trois ou quatre faces. Que sont ces structures, qui les a construites, combien d'autres en existe-t-il, et d'où viennent-elles ? Telles sont les questions auxquelles on ne peut encore apporter de réponse satisfaisante. Pour nous, ces structures martiennes suggèrent l'existence de civilisations dont l'évolution est différente de la nôtre, mais pas nécessairement plus avancée.

Les années à venir vont, sans aucun doute, nous rapprocher d'une redécouverte de la sagesse intensive et extensive des pyramides. Pour nous tous qui sommes à la recherche de cette sagesse, le futur nous réserve l'une des forces les plus mystérieuses et l'un des plus grands mystères que les anciens nous ont laissés en héritage : LE POUVOIR DES PYRAMIDES.

Achevé d'imprimer
par Maury-Imp. S.A.
45330 Malesherbes
Dépôt légal 2ᵉ trimestre 1978
Photo composition Y Graphic